KB076119

클래스가 다른
리스본 벨렝 워킹투어

클래스가 다른 리스본 벨렘 워킹투어

발 행 | 2024년 3월 1일
저 자 | 리스보니따 부부
펴낸이 | 한건희
펴낸곳 | 주식회사 부크크
출판사등록 | 2014.07.15.(제2014-16호)
주 소 | 서울특별시 금천구 가산디지털1로 119 SK트윈타워 A동 305호
전 화 | 1670-8316
이메일 | info@bookk.co.kr

ISBN | 979-11-410-7399-2

www.bookk.co.kr

본 책은 본고딕, 본명조, 나눔고딕, 마포금빛나루, 부크크명조, 부크크고딕, 카페24당당해, 카페24 동동, 경기천년제목 글꼴을 사용하여 제작되었습니다.
책 표지와 본문 마지막 페이지에 수록된 이미지는 Bing Image Creator로 만들었습니다.

클래스가 다른
리스본 벨렝 워킹투어

지은이 리스보니따 부부

차례

클래스가 다른 리스본 벨렝 워킹투어

저자 소개

저희 리스보니따 부부는 여행전문작가로 현재 포르투갈과 수도 리스본에 관하여 가장 많은 여행 정보와 이야기를 담고 있는 전문 블로그(lisbonita.net)를 운영 중입니다. 처음엔 그저 날씨 좋은 곳에서 충전하기 위해 리스본을 찾았다가 아직도 그 매력에서 빠져나오지 못하고 있습니다. 2017년부터 매일 포르투갈 구석구석, 이 골목 저 골목을 누비면서 역사와 인물들의 이야기를 몸으로 느끼는 중입니다. 더 많은 사람들이 포르투갈과 리스본의 매력에 빠져들기를 바라며 오늘도 걸으며 사진을 찍고 있습니다.

[출간 서적]

포르투갈을 만든 결정적 전투 27

포르투갈을 만든 결정적 인물 59

페소아와 함께 하는 리스본 여행

서문

리스본 벨렝으로 여러분을 초대합니다

테주 강둑을 따라 자리 잡은 리스본의 벨렝(Belém) 지구는 역사, 문화, 건축물의 풍부한 아름다운 풍경으로 여행객들을 유혹합니다. 유네스코 세계문화유산으로 등재된 포르투갈의 대항해시대를 상징하는 이 지역은 과거와 현재가 어우러진 매력적인 곳으로, 리스본을 찾는 관광객들이 가장 많이 방문하는 곳입니다.

포르투갈어로 '베들레헴(Bethlehem, 예수 그리스도가 탄생한 종교적 성지, 히브리어의 빵, 아랍어의 고기)'을 뜻하는 벨렝은 포르투갈의 빛나는 발견의 시대를 살아있는 역사의 현장입니다. 15세기 포르투갈 탐험가들이 벨렝 해안을 출발하여 새로운 영토를 개척하고 전 세계에 무역 항로를 구축했습니다. 한때 전설적인 항해의 출발점이었던 이 지역의 해안은 수백년이 지난 지금은 산책로가 되었고, 방문객들은 포르투갈 특유의 아름다운 깔사다(Calçada, 조약돌로 무늬를 만든 길)를 따라 산책하며 역사적인 랜드마크의 매력을 만끽할 수 있습니다.

화려한 건축을 자랑하는 벨렝 지구의 대표는 1983년부터 유네스코 세계문화유산으로 등재된 벨렝 탑(Torre de Belém)으로 포르투갈 해양 유산의 상징으로 '테주강의 귀부인'이라는 별명에 걸맞게 우아한 자태를 뽐내며 우뚝 서 있습니다. 16세기 마누엘 양식으로 지어진 이 요새는 개방형 발코니, 정교한 조각, 화려하게 장식된 외관으로 마법 같은 분위기를 자아내고 있습니다. 벨렝 탑을 기준으로 한쪽(카스카이스 Cascais 쪽)은 대서양, 다른 한쪽(리스본 시내쪽)은 테주강이라고 부르기 때문에 벨렝에서는 해안가와 강변을 함께 즐길 수 있는 재밌는 경험을 할 수 있습니다.

벨렝 탑 외에도 마누엘 양식의 거대한 수도원인 제로니무스 수도원(Mosteiro dos Jerónimos)은 정교한 석조 건축물로, 무데하르 레이스(Mudéjar lace, 13세기에서 16세기 사이에 스페인 및 포르투갈이 자리잡은 이베리아 반도의 기독교 왕국에서 사용된 장식) 같은 세부 장식으로 방문객들을 사로잡고 있습니다. 항해사 바스코 다 가마(Vasco da Gama)와 시인 루이스 드 카몽이스(Luís de Camões)와 같은 존경받는 인물들의 국립 판테온 역할을 합니다. 벨렝에는 발견 기념비(Padrão dos Descobrimentos)와 화려한 장밋빛 벨렝 궁전(Palácio Nacional de Belém)도 있는데, 이 궁전은 포르투갈의 왕실 유산과 탐험 시대를 엿볼 수 있는 곳으로 공화국 대통령의 공식 관저입니다.

역사적인 랜드마크 벨렝은 다양한 문화적, 미식적 즐거움을 선사합니다. 특히 포르투갈 대표 디저트로 설탕과 계피 가루를 입힌 에그타르트를 꼽는데 벨렝에 있는 파스테이스 데 벨렝(pastéis de Belém)이 가장 유명하며, 원조집입니다. 유럽에서 가장 훌륭한 마차 컬렉션을 자랑하는 국립 마차 박물관(Museu Nacional dos Coches)과 현대 미술, 건축 및 기술을 즐길 수 있는 마트(MAAT) 박물관은 예술과 역사 애호가들에게 몰입감 있는 경험을 제공합니다.

또한 벨렝의 활기찬 강변은 매력적인 카페로 꾸며져 있어 여유로운 식사를 즐기거나 바다 너머로 일몰을 바라보며 칵테일을 즐기기에 완벽한 장소입니다. 또한 칼루스테 굴벤키안 천문대와 벨렝 문화 센터가 인접해 있어 문화적 풍요로움을 누릴 수 있으며, 현대 미술, 건축, 해양 지식을 선보이는 정기적인 프레젠테이션, 전시회, 이벤트를 제공합니다.

시대를 초월한 멋진 역사와 현대적 매력이 어우러진 벨렝은 포르투갈 해양 유산과 탐험 정신으로 가득한 곳입니다. 벨렝에는 역사적인 랜드마크부터 맛있는 음식과 문화적인 볼거리까지 다양하게 있어, 여행객들이 시간을 거슬러 올라가 포르투갈의 빛나는 과거를 생생하게 느끼고, 포르투갈인들이 어떻게 세계를 바꾸었는지 회상할 수 있게 해 줍니다.

테주 강 너머로 태양이 지면서 벨렝의 역사적인 기념물들이 황금빛으로 물들면, 어떤 여행자일지라도 그 어느 곳과도 비교할 수 없는 새로운 아름다움에 빠져들게 합니다.

일러두기

이 책의 순서는 가장 동쪽에 있는 코르두아리아 나시오날부터 시작하며 테주 강변을 따라 서쪽으로 이동하면서 샴팔리무드 전망대로 이어집니다. 이후 내륙쪽으로 방향을 바꿔 헤스텔루 지역과 아주다 지역에 있는 명소들을 연결하고 있습니다. 벨렝, 헤스텔루, 아주다 지역은 모두 인접해있기에 온 김에 같이 관람하시면 좋습니다.

BELÉM

클래스가 다른
리스본 벨렝 워킹투어

코르두아리아 나시오날

테주 강변에 위치한 유서 깊은 밧줄 공장이 오늘날 멋진 문화 및 전시 센터로 거듭났습니다. 코르두아리아 나시오날(Cordoaria Nacional)의 기원은 1771년 폼발 후작이 설립한 '준케이라 왕립 밧줄 공장'으로 거슬러 올라갑니다. 처음에는 포르투갈 해군과 해양 선박용 밧줄, 케이블, 돛, 깃발 등을 생산하는 데 주력했던 이 곳은 해상 탐험에 중요한 역할을 했습니다.

건축가 헤이날두 마누엘 두스 산투스(Reinaldo Manuel dos Santos)가 설계한 코르두아리아 나시오날의 건축 디자인은 18세기 미학적 스타일을 반영합니다. 353.30미터에 달하는 두 개의 건물로 이루어진 이 곳은 장식을 거의 하지 않았던 당시 미니멀리즘 산업 건축 스타일을 보여주고 있습니다. 밧줄 생산의 복잡한 과정을 수용하기 위해 건물 자체가 길쭉하게 설계되어 그 당시의 세심한 계획과 장인 정신을 보여줍니다. 공장의 위치가 강변인 것도 선박에 제품 공

급을 쉽게하기 위해서 입니다

현재 코르두아리아 나시오날은 역동적인 문화 센터로 변신하여 연중 다양한 임시 전시회를 개최하고 있습니다. 이 단지는 예술, 역사, 현대 문화를 체험할 수 있는 공간으로, 방문객들에게 다양한 예술적 표현과 역사적 이야기에 몰입할 수 있는 기회를 제공합니다. 또한 이 곳에는 국가안보국과 국가사이버보안센터도 위치하고 있습니다.

코르두아리아 나시오날에서 주목할 곳은 포르투갈 해군과 리스본 시의회가 협력하여 운영하는 기념비적인 공간인 동쪽 탑 갤러리(Galeria do Torreão Nascente)입니다. 이 갤러리는 포르투갈 예술가들의 회고전, 국제 협력, 대규모 전시회를 개최하며 예술적 표현과 문화 교류의 활기찬 중심지 역할을 합니다.

1996년부터 국가 기념물로 지정되었고 1998년까지도 밧줄을 계속 만들었던 곳으로 코르두아리아 나시오날은 포르투갈의 산업 유산과 현대 시대에도 지속되는 유산을 상징합니다. 분주한 산업 현장에서 역동적인 문화 공간으로 바뀐 것은 리스본이 세계적인 랜드마크로 진화하면서 국내외 문화공간에 대한 수요가 늘고 있다는 걸 반영합니다.

MAAT

리스본의 햇살 가득한 테주 강 기슭에 자리 잡은 이곳은 어떤 유형의 여행자든 상관없이 모두를 유혹하는 경이로운 장소입니다. '예술, 건축, 기술의 박물관'(Museu de Arte, Arquitetura e Tecnologia, MAAT, 마트)은 현대 미술, 현대 건축, 그리고 끊임없이 진화하는 기술 영역이 만나는 지점에서 무한한 가능성이 생겨난다는 것을 암시하고 있습니다. 리드미컬하게 흐르는 강물에 반사되는 매력적인 건물과 조각품들을 통해 상상력과 혁신이 조화를 이루는 놀라운 감흥을 느끼게 될겁니다.

선구적인 건축가 아만다 레베트(Amanda Levete)가 설계한 MAAT는 강변에서 마치 절정을 향해 치솟는 파도처럼 솟아 있으며, 표면은 햇빛을 받아 비늘처럼 반짝이는 타일로 장식되어 있습니다. 이 경이로운 흰 건축물은 풍경과 합쳐져, 특히 일몰 시 황금빛 자태를 드러내면서 많은 이들의 사랑을 받고 있습니다. 물결치는 지붕 위를 거닐다 보면 리스본의 아름다운 풍경이 파노라마처럼 펼쳐지는데, 테주 강의 자연과 어우러진 도시 풍경은 예술과 삶이 어우러지는 사색의 시간을 선사합니다. MAAT의 옥상은 무료로 개방되어 있기 때문에 전시 관람 전후로 주변 지역의 색다른 풍경을 즐길 수 있습니다.

샌프란시스코의 금문교를 만든 같은 회사에서 만들었기에 그곳을 연상시키는 4월 25일 다리와 브라질 리우데자네이루의 거대예수상을 연상시키는 구세주 그리스도 동상(Santuário de Cristo Rei)도 MAAT 옥상에서 즐길 수 있습니다. 샌프란시스코와 브라질을 이미 다녀온 관광객이라면 이곳 리스본에서 여행의 즐거웠던 추억을 떠올릴 수 있고, 아직 다녀오지 못했다면 새로운 여행 계획을 꿈꿀 수도 있습니다. MAAT는 이렇게 추억이나 상상을 자극하는 멋진 문화공간입니다.

예술, 건축, 기술 사이의 복잡한 대화를 탐구하는 MAAT는 다양하면서도 생각을 자극하는 전시회를 개최하고 있습니다. 이러한 전시는 단순한 전시가 아니라 대화와 성찰을 위한 촉매제 역할을 하며, 관람객들이 중요한 사회적 주제에 대해 고민하도록 유도합니다.

예술, 건축, 기술의 융합에 몰입하고자 하는 사람들을 위해 MAAT는 두 팔 벌려 방문객을 환영합니다. 브라질리아 대로(Avenida Brasília)변에 자리 잡은 이곳은 언제나 영감의 등대 역할을 합니다. 현대 미술의 매력에 이끌리거나 건축 혁신에 흥미를 느끼거나 기술의 잠재력에 매료된 사람이라면 MAAT에서 다양한 관점을 발견할 수 있습니다. 특히 사진찍기 좋아하는 여행객이라면 리스본의 새로운 아름다움을 카메라에 담을 수 있는 MAAT를 꼭 즐기고 가시길 바랍니다.

Entrada | Entrance
maat Central
maat
Bilheteira |
Tickets

센트럴 테주

MAAT의 신관 옆에는 과거 시대의 이야기를 속삭이는 숨겨진 보석, 센트럴 테주(Central Tejo)가 있습니다. 한때 산업발전의 에너지가 흘러넘치는 화력발전소였던 이 경이로운 건축물은 이제 리스본의 과거를 보여주는 조용한 증인처럼 서 있습니다. 과거 센트럴 테주로 알려진 전기 박물관의 신성한 홀에 들어서면 증기와 강철이 풍경을 지배하던 시대로 시간여행을 떠난 듯한 기분이 들 것입니다.

센트럴 테주의 역사는 혁신, 진보 등의 실타래로 짜여진 정교한 공예품과도 같습니다. 1909년부터 1975년 폐쇄될 때까지 센트럴 테주는 리스본과 그 지역에 전기를 공급하던 화력발전소로 리스본을 발전시키고 리스본의 운명을 결정짓는 데 중요한 역할을 했습니다. 기계의 메아리와 노동자들의 속삭임이 여전히 공중에 맴돌며 오래전 일들을 생생하게 그려내고 있습니다.

이 걸작 건축물의 복도를 걷다 보면 건축에 들어간 독창성과 헌신에 감탄하게 됩니다. 선구적인 엔지니어 루시앙 뉴(Lucien Neu)가 설계하고 비야르 & 투제(Vieillard & Touzet)의 숙련된 손길로 탄생한 센트럴 테주는 인간의 창의성과 장인정신의 증거입니다. 1909년부터 수십년에 걸쳐 지속적으로 바뀌고 발전한 이 곳은, 20세기 전반부터 잘 보존된 산업 단지로 모든 건물에 벽돌로 덮인 철 구조물을 사용하여 조화로운 미학을 보여줍니다.

1975년에 공식 폐쇄된 후 문화 공간으로 용도가 변경되어 1990년 전기 박물관으로 공개되었습니다. 그러다 2001년과 2005년 사이에 건축 유산과 박물관 콘텐츠를 포괄하는 광범위한 복원 과정을 거친 후, 2006년에 다시 문을 열었을 때 큰 호평을 받았습니다.

센트럴 테주는 단순한 건물이 아니라 역사와 유산이 살아 숨 쉬는 살아 있는 실체입니다. 벽돌 하나, 톱니바퀴 하나, 터빈 하나하나에 땀과 수고, 승리의 이야기가 담겨 있습니다. 과거와 현재가 만나는 곳, 전통과 현대가 시대를 초월한 왈츠처럼 춤을 추는 곳입니다.

센트럴 테주 바로 옆 벨렝 선착장에서 배를 타고 강 건너 알마다 지역의 트라파리아(Trafaria)와 포르투 브란다옹(Porto Brandão)으로 갈 수도 있습니다. 여유있게 리스본 여행 중이고 강 건너편에서 리스본의 모습을 즐기고 싶다면, 배 요금도 아주 저렴하니 참고하시기 바랍니다.

국립 마차 박물관

국립 마차 박물관(Museu Nacional dos Coches)은 포르투갈의 역사 지구 벨렝에 자리 잡은 호화롭고 전통이 깃든 보물상자입니다. 이 역사적 성소는 단순한 박물관이 아니라 과거로 통하는 문으로, 한때 포르투갈의 풍요로운 유산의 풍경을 정의했던 왕실 행렬의 웅장함과 교통 수단의 진화를 엿볼 수 있는 곳입니다.

20세기 초, 포르투갈의 마지막 여왕 아멜리아 드 오를레앙 이 브라간사(Amélia de Orléans e Bragança)가 왕실 승마 학교였던 이곳을 역사적인 박물관으로 탈바꿈시켰습니다. 고풍스러운 구 박물관에 배치된 마차들과 왕실 가족들의 초상화들을 볼 수 있는 구관인 피카데이루 헤알(Picadeiro Real)에선 무료 음악회가 자주 열립니다.

구관 맞은 편에는 2015년 혁신적인 브라질 건축가 파울루 멘데스 다 호샤(Paulo Mendes da Rocha)가 구상한 현대식 건물이 추가되어 과거와 현재가 완벽하게 조화를 이루며 역사를 보존하고 기념할 수 있는 공간이 되었습니다.

박물관의 중심에는 과거 시대의 장인 정신과 미적 감각을 보여 주는 비할 데 없는 마차 컬렉션이 자리하고 있습니다. 16세기 후반 스페인의 펠리페 2세가 포르투갈에 입성할 때 사용했던 마차부터 1716년 포르투갈 대사가 로마 개선문을 통과할 때 사용하라고 주앙 5세가 제작한 황금 마차, 1908년 카를로스 국왕(마차 박물관을 설립한 아멜리아 여왕의 남편)과 필리프 왕세자가 코메르시우 광장에서 암살을 당할 때 탔던 지금도 총알 자국이 보이는 마차 등 주목할 만한 작품들이 있습니다.

박물관은 금박과 정교한 디자인으로 장식된 세심하게 제작된 걸작을 통해 왕실 교통 수단의 진화를 보여 줍니다. 한때 왕가의 웅장하고 화려한 의례행사 및 일상 생활에서 이용되었던 마차는 이제 포르투갈 왕실의 이야기를 조용히 들려주는 이야기꾼으로 서 있습니다.

벨렝 지구에 위치한 국립 마차 박물관은 리스본의 문화 왕관에 있는 보석 같은 곳입니다. 적당한 입장료로 시간 여행을 즐길 수 있는 이곳은 그 깊숙한 곳을 탐험하고 싶은 분들에게 손짓합니다. 유럽의 왕실들이 서로 혈연 관계로 얽혀 있기에 포르투갈의 왕실 뿐 스페인의 필리페 2세, 프랑스의 루이 14세 등등 유럽 역사를 조금이라도 알고 있다면 더 재밌게 즐길 수 있는 이 박물관에서 역사적인 상상의 나래를 펼쳐 볼 수 있습니다. 방문객을 역사가 살아 숨쉬는 세계로 초대하여 전시장을 떠난 후에도 오래도록 기억에 남는 풍성한 경험을 선사합니다.

마차보다 좀더 근대적인 교통 수단을 볼 수 있는 박물관을 찾고 있으다면 리스본의 상징과도 같은 트램의 역사를 볼 수 있는 카리스 박물관(Museu da Carris)도 추천해 드립니다. 01에서 소개한 코르두아리아 나시오날에서 1킬로미터 떨어진 곳에 있습니다.

아폰수 드 알부케르크 정원

테주 강이 고대 탐험가들과 그들의 위대한 탐험에 대한 이야기를 부드럽게 속삭이는 리스본 벨렝에는 모험과 발견의 정신이 깃든 광장이 자리하고 있습니다. 울창한 녹지로 둘러싸인 이 정원은 번잡한 도시 생활에서 벗어나 평화로운 휴식처를 제공합니다. 그리고 세상의 한계를 넘는 과감한 꿈을 꾸었던 사람들의 기념비적인 업적을 되돌아볼 수 있는 곳이기도 합니다. 아폰수 드 알부케르크 정원(Jardim Afonso de Albuquerque)이 바로 이곳입니다.

그림 같은 벨렝 지역에 위치한 이 정원에 들어서면, 마치 지평선 너머로 새로운 세계를 갈망했던 시대로 돌아간 듯한 느낌을 받을 수 있습니다. 이 정원은 인도의 두 번째 총독이자 대항해 탐험의 역사의 한페이지를 장식하는 인물인 아폰수 드 알부케르크를 기리기 위해 만들어졌기 때문입니다.

정원 중앙에는 아폰수 드 알부케르크의 동상이 자리 잡고 있습니다. 네오마누엘 기둥 위에 세워진 이 청동상은 포르투갈의 발견 시대에 중추적인 역할을 했던 그를 기념하고 있습니다. 1902년 10월에 공개된 이 동상의 아래부분에는 말라카(Malaca)에서 무어인을 패배시킨 장면, 나르싱가(Narcinga) 왕의 사신을 영접하는 장면, 페르시아 대사로부터 뇌물로 돈을 제안받고 이건 포르투갈 왕에게 세금 지불하는 돈이라고 답변하는 장면, 고아의 열쇠를 전달하는 장면을 묘사한 알부케르크의 생애를 담은 4개의 부조 조각이 그려져 있습니다.

정원에 인접한 벨렝 궁전은 말없는 수호자처럼 서 있습니다. 현재 포르투갈 대통령의 관저로 사용되고 있는 이 장엄한 건물은 이 지역에 엄숙함을 더하며, 그 역사적 중요성은 알부케르크 동상의 배경이 되어 줍니다.

1910년 공화주의 혁명 이후 포르투갈을 휩쓴 변화의 바람을 따라 한때 동 페르난두 광장(Praça D. Fernando)으로 알려졌던 이곳은 이제 아폰수 드 알부케르크 광장라는 이름으로 불리는데, 이는 단순한 명칭의 변화뿐만 아니라 정체성의 변화를 의미합니다.

1940년 포르투갈 세계 박람회(Exposição do Mundo Português) 때 조각가 바라타 페유(Barata Feyo)의 작품인 분수 4개를 추가하여 현재의 정원 모습이 완성되었습니다. 남동쪽에는 포세이돈의 아내이자 바다의 여왕인 암피트리테(Amphitrite)와 해마가 있고, 북동쪽에는 아름다움과 사랑의 여신 아프로디테(Aphrodite, 비너스)와 아들 아이네이아스가 있고, 북서쪽에는 사량과 순결의 여신 아르테미스(Artemis, 디아나)가 단검을 들고 사슴과 함께 있으며, 남서쪽에는 포도주와 쾌락의 신 디오니소스(Dionysos, 바커스)가 여신의 형태로 포도를 들고 염소와 함께 있습니다.

창작물에서 뚱뚱한 술주정뱅이 중년아저씨로 흔히 묘사되는 디오니소스때문에 왜 이곳에서 여신 모습을 하고 있나 궁금해하실 수도 있는데 제우스의 사생아로 태어났기에 헤라의 분노를 피하려고 자랄 때 여장을 해서 소녀처럼 자랐다는 신화 속 이야기 때문이 아닐까 싶습니다.

RENDER
DA GUARDA
AO PALACIO
DE BELEM

벨렝 궁전

테주 강을 바라보는 웅장한 외관을 자랑하는 벨렝 궁전(Palácio Nacional de Belém)은 한때 왕족들이 호화로운 홀과 정원을 거닐며 역사의 섬세한 손길을 스쳐간 지난 시대의 이야기를 속삭이고 있습니다. 현재 포르투갈 공화국 대통령이 거주하고 있는 이 궁전은 포르투갈의 풍요로운 왕실의 과거를 간직한 살아있는 박물관입니다.

16세기 우테이루 다스 비냐스(Outeiro das Vinhas)라는 땅은 테주 강 해변을 앞에 두고 시간의 흐름을 조용히 지켜보는 증인처럼 서 있었던 곳이었습니다. 여기에 마누엘(D. Manuel de Portugal)이라는 외교관이자 시인이 건물을 지으면서 벨렝 궁전의 역사가 시작되었습니다. 그리고 1726년 포르투갈의 태양왕이었던 주앙 5세가 이 궁전을 인수하면서 오늘날의 웅장한 복합 건물로 변모하기 시작했습니다. 각 건물과 안뜰은 18세기부터 21세기까지 포르투갈의 왕실 유산과 역사적 여정을 구현하는 건축사를 담고 있습니다.

1755년 리스본 대지진 당시 주제 1세와 그의 왕실 가족들은 벨렝 지역에서 휴가를 보내다 이곳으로 황급히 피신해서 목숨을 구할 수 있었습니다. 벨렝 궁전 건물은 임시 병원으로 사용했고 왕실은 한동안 이 궁전 마당에서 천막을 치고 생활을 했습니다. 주제 1세는 대지진 후 공황 장애로 인해서 죽을 때까지 천막을 치고 살았는데 이곳을 떠나 아주다 궁전으로 옮겨가서도 죽을 때까지 천막에서 지냈습니다.

마리아 2세는 네세시다드스 궁전(Palácio das Necessidades)이 만들어질 동안 벨렝 궁전에서 생활했으며, 루이스 1세는 리스본을 방문하는 국빈들의 숙소로 이곳을 사용했습니다. 1886년에는 카를로스 왕세자와 아멜리아의 신혼집으로 사용되어 필리프 왕세자와 마누엘 왕자(후에 포르투갈의 마지막 왕, 마누엘 2세가 된)가 이곳에서 태어나 세례까지 받았습니다.

정원은 사색을 불러일으키고 안뜰은 과거의 비밀을 속삭입니다. 궁전 곳곳에는 콜롬바누(Columbano), 말료아(Malhoa), 리안드루 브라가(Leandro Braga), 주앙 바스(João Vaz) 등이 그린 멋진 그림들을 즐길 수 있습니다. 포르투갈 뉴스에 자주 등장하는 대통령의 기자회견실부터 파울라 헤구(Paula Rego)의 강력한 메시지가 담긴 그림들로 가득한 예배당까지 다양한 볼거리가 있습니다.

매달 세 번째 일요일 11시에는 공화국 대통령 근위대의 멋진 행진이 벨렝 왕궁 앞에서 펼쳐집니다. 2004년 공화국 대통령 박물관이 개관했기에 역대 대통령에 대한 자료와 각국 정상들로부터 받은 선물(예를 들어 박근혜 대통령으로부터 받은 자개함) 등을 볼 수 있습니다.

매주 토요일, 박물관에서 진행하는 가이드 투어를 참석하면 상세한 설명과 함께 벨렝 왕궁을 직접 즐길 수 있습니다.

Pastéis de Belém
desde 1837
96

벨렝 에그타르트 원조집

리스본의 하얀 깔사다 골목과 햇살이 내리쬐는 광장에는 얇은 껍질로 감싸고 바삭함과 달달한 크림 같은 달콤함이 숨겨져 있습니다. 고대 수도원의 전통을 속삭이는 에그타르트인 파스텔 드 나타(Pastel de nata)는 매혹적인 향과 황금빛으로 여행객과 현지인 모두를 유혹합니다.

벨렝의 중심부, 웅장한 제로니무스 수도원에서 파스텔 드 나타의 풍부하고 달콤한 이야기가 시작되었습니다. 당시 수도사들은 옷을 빳빳하게 다리기 위해 달걀의 흰자를 사용했고, 남아도는 달걀의 노른자들을 활용하기 위해 궁리를 했습니다. 그 결과 크림, 달걀, 설탕을 섞어 만든 레시피가 탄생했고, 이것이 바로 전 세계인의 입맛에 벨렝이라는 이름을 각인시킨 파스텔 드 나타입니다.

제로니무스 수도원이 간직해온 에그타르트의 비밀요리법이 세상 밖으로 나오게 된 것은 포르투갈 내전과 깊은 관련이 있습니다. 리스본 시내에서 벨렝으로 이동할 때 카이스 두 수드레(Cais do Sodré)의 7월 24일 대로(Av. 24 de Julho)를 지나게 되는데 이 도로의 이름이 바로 내전과 갚은 관련이 있는 날짜입니다. 페드루 4세(입헌 군주파, 자유주의)가 동생 미구엘(절대왕정파)를 물리치는데 결정적이었던 1833년 7월 24일을 기념하는 길이고 이 후 수도를 상실한 절대왕정파는 사기가 떨어졌고, 결국 1834년 5월 26일 에보라-몽트 협약으로 내전이 끝났습니다.

포르투갈의 수도원들은 절대왕정파 미구엘을 지지했기 때문에 미구엘의 패전 후 1834년 제로니무스 수도원 역시 문을 닫게 됩니다. 변화하는 역사의 흐름 속에서 살아남기 위해 성직자들은 사업가 도밍구스 하파엘 알브스(Domingos Rafael Alves)에게 에그타르트 비밀 요리법을 팔게 됩니다. 이로써 수도원 주방에서 탄생한 이 걸작이 알브스 후손들의 손에 의해 오랜 세월 동안 속삭여온 비밀을 간직한 채 살아 숨 쉬게 되었습니다.

에그타르트의 데뷔는 웅장한 무대가 아닌 수도원 근처 설탕 정제소의 소박한 거처에서 이루어졌습니다. 1837년 정제소 별관을 '안티가 콘페이타리아 드 벨렝(A antiga confeitaria de Belém)'으로 개조하여 현재까지 맛있는 행복을 추구하는 사람들의 순례지가 되었습니다.

특허로 보호받는 레시피와 '파스테이스 드 벨렝(Pastéis de Belém)'이라는 이름은 전통의 수호자로서 수 세기에 걸친 역사와 문화까지 한 입에 담을 수 있게 해줍니다. 가게 안의 아줄레주 장식과 분위기를 즐기고 난 후 눈을 감고 바삭하게 에그타르트를 한입 깨무는 순간, 옛 제로니무스 수도원의 성가와 기도 소리가 귀에 울리고 수도원의 수도사들과 함께 식사 후 디저트를 즐기는 듯한 행복감이 밀려옵니다.

참, 맛집 바로 옆 작은 골목 안쪽에 (Beco do Chão Salgado)에 역사적인 기념비가 숨겨져 있습니다. 1758년 주제 1세의 목숨을 노린 암살미수 사건의 배후로 지목된 타보라(Távora) 귀족 가문과 관련자들이 1759년 이곳에서 고문을 당하고 처형되었습니다. 이 사건은 당시 가장 강력했던 타보라 가문을 몰락시키고자 폼발 후작이 꾸민 음모라고 보는 역사가들도 꽤 있습니다. 주제 1세의 딸인 마리아 1세는 몰락했던 타보라 가문을 다시 복원했고 타보라에서 살아 남은 후손인 레오노르의 흔적은 프론테이라 궁전(Palácio Fronteira)에서 찾아 볼 수 있습니다. 이 사건에 대한 기록은 피멘타(pimenta) 궁전에 있는 리스본 박물관에 자세히 남아 있습니다.

JARDIM

열대 식물원

한때 대양 정원(Jardim do Ultramar)으로 알려진 열대 식물원(Jardim Botânico Tropical)은 전 세계 열대 및 아열대 식물의 생생한 녹색으로 그려진 캔버스이자 속삭이는 나뭇잎 갤러리입니다.

1906년 선견지명이 있던 카를로스 1세가 식민지 정원(Jardim Colonial)으로 구상한 이곳은 희귀한 식물 종의 꽃들이 가득합니다. 2만평 규모(서울 남대문시장과 비슷)의 식물원으로 카나리 제도와 마데이라 제도에서 온 용 나무부터 하늘을 찌를 듯 높이 솟은 아라우카리아까지 700여 종의 식물 사이를 거닐 수 있습니다. 워싱턴야자수는 마치 다른 시대의 파수꾼처럼 위풍당당하게 줄을 지어 서 있고, 잎사귀는 아래쪽에 복잡한 그림자를 드리웁니다. 이곳의 잎과 꽃잎 하나하나가 보존과 깨달음에 대한 끊임없는 이야기의 주인공이며, 이 정원이 조용히 품위 있게 들려주는 이야기입니다.

열대 식물원은 단순한 식물의 집합이 아니라 자연의 교향곡을 배경으로 한 건축적 우아함의 앙상블입니다. 온실은 그 안에 섬세한 보물을 품고 있는 수정 궁전처럼 솟아 있습니다. 행정 건물은 자연의 혼란을 정리하는 과학의 기념비처럼 서 있고, 나무 박물관과 도서관은 나무에 대해 배우는 지식의 보물창고와도 같습니다. 이곳의 공기는 꽃향기뿐만 아니라 오리, 거위, 닭, 공작새 등 다양한 생명의 소리로 진동하며 리스본의 번잡함이 고요한 흥얼거림으로 사라지는 듯합니다.

제국의 광장 정원

제국의 광장 정원(Jardim da Praça do Império)은 역사의 이야기를 속삭이는 동시에 현대의 여행자들이 그 광활한 곳을 누비며 자신만의 이야기를 만들 수 있도록 초대합니다. 이 거대한 광장의 시작은 1940년 포르투갈 세계 박람회(Exposição do Mundo Português)로 거슬러 올라갑니다. 1940년은 포르투갈 독립 800주년(1140)과 독립 회복 300주년(1640)을 기념하는 중요한 연도였기 때문입니다.

안토니우 두아르트(António Duarte)가 조각한 탄생한 해마 조각은 이 지역이 전 세계의 주목을 받으며 급성장했던 시기의 파수꾼 역할을 하고 있습니다. 이 예술적 수호자들과 멀지 않은 곳에 시인 아우구스투 길(Augusto Gil)의 기념비가 포르투갈의 풍부한 문화 예술적 노력에 대한 조용한 경의를 표하며 손짓합니다.

제국의 광장 정원은 세심한 기하학으로 펼쳐지는데, 직사각형의 중심부는 녹지 공간과 포장된 길이 조화롭게 어우러져 있으며, 사각형으로 나뉘면서도 연결되어 있어 탐험을 유도합니다. 중앙의 정사각형 플랫폼에는 조명이 켜진 분수가 자리하고 있으며, 낮의 빛과 저녁의 은은한 어둠 속에서 물의 장관을 연출합니다.

포르투갈의 18개 지역, 군도, 옛 식민지, 그리스도 기사단과 아비스 기사단의 십자가를 상징하는 30개의 꽃 문장이 정원을 장식하고 있습니다. 또한 회양목과 꽃으로 만든 국가 방패가 정원의 상징성을 더합니다.

토요일 아침이면 제국의 광장 정원 주변 공기는 수도원에서 울려 퍼지는 축하 종소리로 가득 차 기쁨과 축제의 분위기로 가득 차게 됩니다. 한때 17세기에 지어진 비에이라 포르트우엔스 길(R. Vieira Portuense)의 건물들이 지금은 식당으로 변신하여 야외 테이블을 펼쳐놓고 리스본의 찬란한 햇살을 즐기면서 식사할 수 있도록 여행객들을 초대합니다. 한때 해변 모래가 깔려 있던 자리에 만들어진 이 정원은 벨렝의 역사적 웅장함 속에서 산책하고 쉬어 갈 수 있는 멋진 휴식처를 제공합니다.

화려한 분수 너머로 제로니무스 수도원이 보이고 반대편으로는 테주 강변으로 발견 기념비가 우뚝 서 있는 이곳은 주말에는 노천시장으로 더 생기 넘칩니다. 바로 옆 벨렝 문화센터까지 벨렝의 진정한 중심부에 자리잡은 화려함과 문화적 혁신이 공존하는 이 광장은 역사와 현대가 교차하는 벨렝을 여행하는 사람들에게 나침반 역할을 합니다.

제로니무스 수도원

포르투갈 리스본 벨렝 지구의 테주 강변에 위치한 제로니무스 수도원은 후기 포르투갈 고딕 마누엘 양식을 대표하는 웅장한 건축 걸작입니다. 마누엘 1세 국왕의 명령으로 건설된 이 수도원은 포르투갈 선박이 동방에서 가져온 부를 바탕으로 자금을 조달하였으며, 발견의 시대에 포르투갈이 가졌던 자신감과 믿음을 반영하고 있습니다. 1755년 지진으로 수도원의 일부가 파괴되었지만 16세기 양식의 대표적인 사례인 수도원의 교회와 회랑은 살아남아 포르투갈의 문화적, 종교적 유산을 상징하는 지속적인 존재로 남아 있습니다. 이 수도원은 문화적, 역사적으로 중요한 랜드마크로, 전 세계에서 방문객을 끌어들여 화려한 건축물과 풍부한 역사적 유산에 감탄하게 합니다.

제로니무스 수도원은 16세기 성 제롬 수도회에서 수행 생활을 했던 공간이자 아비스 포르투갈 왕가의 무덤으로 사용되었던 곳으로 엄청난 역사적 의미를 지니고 있습니다. 이곳은 항해자들의 영적 안식처이자 아비스 가문의 마지막 안식처로 사용되었으며, 포르투갈 해양 역사와 국가의 왕조 유산에서 중요한 역할을 했습니다. 1983년, 제로니무스 수도원은 탁월한 보편적 가치를 인정받아 인근의 벨렝 탑과 함께 유네스코 세계문화유산으로 등재되었습니다.

제로니무스 수도원의 건축물에는 포르투갈의 해양 유산, 종교적 헌신, 왕조의 유산을 반영하는 풍부한 상징성이 담겨 있습니다. 수도원 외부의 복잡한 조각과 조각상들은 밧줄, 매듭, 바다 괴물, 이국적인 식물 등의 대항해시대와 관련된 묘사를 하고 있는데, 이는 포르투갈이 당시 국제적인 해상 무역에 끼쳤던 크나큰 영향력을 상징합니다. 또한 성인, 성경 장면, 왕실 후원 등의 종교적 상징물이 외관을 장식하고 있어 영적 헌신과 왕조의 자부심에 대한 시각적 이야기를 전달합니다.

1) 남쪽 문

제로니무스 수도원의 남쪽 문은 후기 포르투갈 고딕 마누엘 양식 건축의 걸작으로 엄청난 의미를 지니고 있습니다. 이 위풍당당한 입구는 투마르(Tomar)에 있는 그리스도 수도원의 회의실 창문과 함께 그 건축적 화려함과 역사적 중요성으로 인해 높이 평가받고 있습니다. 문의 양쪽으로 거대한 선박의 돛대 두 개를 디자인하고 조각상으로 장식한 후, 그리스도 기사단의 십자가로 마무리한 이 남쪽 문은 신세계로의 항해와 국가의 해양적 역량에서 영감을 받은 마누엘 양식의 활기차고 낙천적인 분위기를 반영합니다. 이 문은 포르투갈이 지닌 풍부한 해양 유산과 발견의 시대에 포르투갈이 얼마나 중요한 비중을 차지했는지를 오랜 시간이 지난 지금까지도 바로 한 눈에 확인할 수 있게 도와줍니다.

1517년부터 1518년까지 후안 데 카스티요(Juan de Castillo)의 숙련된 손에 의해 건설된 제로니무스 수도원의 남문은 경외심을 불러일

으키는 건축적 경이로움으로 서 있습니다. 정교한 조각과 조각상으로 장식된 이 거대한 문은 종교적 헌신과 역사적 중요성의 본질을 포착합니다. 문의 가장 높은 꼭대기에는 대천사장 성 미카엘이 시선을 사로잡으며, 신성한 보호와 인도를 상징합니다. 성 미카엘 대천사장의 존재는 수도원의 성스러운 공간을 보호하는 천상의 힘에 대한 수도원의 헌신을 반영하며 영적인 보호의 강력한 상징으로 작용합니다.

문의 중앙에는 아기 예수를 안고 있는 벨렘의 성모 마리아와 동방박사의 모습이 그려져 있으며, 예언자, 사도, 교회의 박사, 동정녀, 무당의 묘사가 둘러싸고 있어 각각 종교적 상징의 풍부한 이야기를 구성합니다. 이 중심부 묘사는 방문객들에게 수도원의 영적 유산의 맥락에서 예수 그리스도의 탄생의 심오한 의미를 숙고하게 하며, 예수 탄생의 시각적 이야기를 전달합니다.

문의 아치는 성 제롬의 생애를 시각적으로 전달하며, 방문객들에게 성인의 영적 여정과 수도원의 지속적인 유산과의 연결을 통한 매혹적인 여정을 선사합니다. 사자의 발에서 가시를 제거하는 장면

과 사막에서의 성인의 경험 등 아치에 그려진 성 제롬의 생애는 역사적, 종교적 의미를 더합니다.

2) 정문 또는 서쪽 문

1517년 니콜라우 샹트렌느(Nicolau Chanterene)이 설계한 제로니무스 수도원의 산타 마리아 교회 주 출입구 또는 측면 출입구는 포르투갈 최초의 르네상스 작품으로 간주됩니다. 이 문에는 상단에 왼쪽에서 오른쪽으로 수태고지, 예수 탄생, 동방박사의 경배 세 장면이 묘사되어 있습니다. 기도하는 마누엘 1세와 그의 수호성인 성 제롬의 동상은 문의 왼쪽에 위치해 있습니다.

정교한 조각과 상징적 표현으로 이루어진 이 문은 고딕 양식에서 르네상스로의 중요한 전환을 나타내며, 당시의 발전하는 예술적, 건축적 트렌드를 반영합니다. 수태고지, 예수 탄생, 동방박사의 경배와 같은 종교적 장면의 묘사는 기독교 신앙의 중심 교리와 종교적 서사에서 이 사건들의 의의에 대한 숙고를 불러일으킵니다. 마누엘 1세와 성 제롬을 묘사

한 동상을 포함한 것은 종교적 권력과 세속적 권력의 얽힘을 더욱 강조하며, 군주의 수호성인에 대한 헌신과 군주제의 영적 의의를 반영합니다.

3) 1층 십자가 구조의 아래쪽(입구)

산타 마리아 교회의 1층 십자가 구조의 아래쪽, 즉 입구로 알려진 곳에는 역사적, 예술적 요소가 많이 담겨 있습니다. 교회 입구 안쪽에 위치한 이 부분에는 19세기 코스타 모타(Costa Mota)가 디자인한 유명한 항해사 바스코 다 가마의 무덤이 왼쪽에, 시인 루이스 드 카몽이스의 무덤이 오른쪽에 있습니다. 누가 누구의 무덤인지 구별할 수 있는 방법은 관에 장식된 조각을 보면 알 수 있는데 카몽이스의 관에는 그가 쓴 서사시 '오스 루지아다스'와 펜이 조각되어 있고, 바스코 다 가마의 관에는 인도항로를 발견할 때 그가 지휘했

던 캐러밸 선이 조각되어 있습니다.

제로니무스 수도원 내부에 바스코 다 가마의 무덤을 배치한 것은 역사적으로 깊은 의미가 있는데, 이는 대항해시대에 크게 기여한 유명한 항해사와 수도원의 연관성을 기념하기 때문입니다. 바스코 다 가마의 유해는 1880년 수도원 교회의 본당에서 새로 새겨진 무덤으로 옮겨졌습니다. 마찬가지로, 대서사시 "루지아다스"에서 바스코 다 가마의 첫 항해를 불멸의 시로 승화시킨 유명한 시인 루이스 드 카몽이스의 무덤 역시 수도원의 문화유산에 문학적 차원을 더합니다.

4) 중앙 신자석

제로니무스 수도원의 중앙 본당인 산타 마리아 교회는 라틴 십자가 모양의 아치형 천장 하나로 연결된 동일한 높이의 세 개의 통로가 있는 홀 교회 구조가 특징인 놀라운 건축물입니다. 홀 교회라고도 불리는 이 건축 양식은 성스러운 공간에 웅장하고 넓은 느낌을 줍니다. 폭이 30미터에 달하는 십자가 모양의 아치형 천장은 내부 건축의 대칭과 균형을 강조하는 시각적 중심을 이루고 있습니다.

아치형 천장의 교차점에는 청동으로 새겨진 정교하게 제작된 왕실 문장이 장식되어 있어 신성한 공간에 당당하고 장엄한 느낌을 더합니다. 이 화려한 디테일은 수도원의 역사적, 문화적 중요성을 반영하며 건축 당시 종교와 왕실의 후원이 서로 얽혀 있었음을 보여줍니다.

넓고 개방적인 디자인의 홀 교회 배치는 당시의 건축적 독창성을 보여주는 증거로, 예배와 묵상을 위한 조화롭고 경외감을 불러일으킵니다. 제로니무스 수도원의 중앙 본당에는 종교적 헌신, 예술적 장인 정신, 장엄한 상징이 잘 조화를 이루어서, 방문객들은 이 건축 걸작의 풍부한 역사적, 문화적 유산에 흠뻑 빠져들게 됩니다.

5) 본 예배당

산타 마리아 교회의 본 예배당은 1571년 주앙 3세의 아내 카타리나 왕비의 지시에 따라 대대적인 보수 공사를 거쳤습니다. 본 예배당의 보수 공사는 거장 제로니무 드 후앙(Jerónimo de Ruão)이 맡았는데, 마누엘 양식에서 매너리즘 건축적 영향으로의 전환을 보여줄 뿐만 아니라 왕가의 역사적, 왕조적 의의를 강조하며, 왕가의 무덤의 웅장함에 반영되어 있습니다. 이는 본 예배당에 새로운 예술적 차원을 가져왔으며, 당시의 발전하는 예술적, 건축적 트렌드를 반영했습니다.

예배당 내부에는 역사적으로 중요한 인물들의 무덤이 있습니다. 십자가 머리 부분의 왼쪽 공간에는 마누엘 1세 국왕과 마리아 왕비의 무덤을 볼 수 있고, 오른쪽에는 주앙 3세 국왕과 카타리나 왕비의 무덤이 눈에 띄게 전시되어 있습니다.

6) 측면 예배당

산타 마리아 교회의 측면 예배당은 십자가 모양 구조의 왼쪽과 오른쪽 팔에 위치해 있으며, 역사적, 왕실적으로 큰 의미를 지니고 있습니다. 십자가 모양 구조의 왼쪽 중앙 부분에는 아비스 왕조의 마지막 왕이었던 엔히크 추기경 왕의 무덤과 마누엘 1세 왕의 자녀들의 유해가 안치되어 있습니다.

십자가 모양 구조의 오른쪽 중앙 부분에는 모로코 원정을 떠났다가 전사한 세바스티앙 왕과 주앙 3세 왕의 자녀들의 무덤을 볼 수 있습니다. 수도원 측면 예배당의 화려한 분위기 속에 자리 잡은 이 왕실 무덤은 포르투갈 왕가의 역사적, 왕조적 중요성을 더욱 강조하며, 왕실 무덤의 웅장함 속에 반영되어 있습니다.

세바스티앙 왕의 실종으로 포르투갈의 국운이 완전히 기울고 왕권까지 스페인으로 넘어가게 되자, 포르투갈 국민들 사이에서는 아직 그가 살아있으며 언젠가는 다시 돌아와 포르투갈을 부강하게 만들 것이라는 믿음이 퍼지기 시작했습니다. 스페인이 포르투갈을 지배하던 시기(1580~1640년), 세바스티앙이라고 자처하는 사람이 한 명도 아니고 네 명이나 나타났습니다.

스페인에서 온 필리프 1세 국왕(스페인 펠리페 2세 왕)은 1582년 리스본의 제로니무스 수도원으로 실종된 왕의 유해라고 추정되는 시신을 가져와 세바스티앙 왕이 돌아올 것이라 믿음을 없애려고 했습니다. 하지만 지금까지도 안개가 가득한 날엔 포르투갈 사람들은 세바스티앙 왕이 돌아와서 포르투갈을 다시 대항해시대의 영광으로 인도할거라고 농담처럼 얘기합니다.

7) 고해실

수도원 내에 있는 총 12개의 고해성사실은 고해성사를 위한 공간으로 사용되었으며, 고해 신부는 회랑을 통해, 고해자는 철망으로 분리된 제단을 통해 들어갔습니다. 이 방들은 제로니무스 수도회 수사들이 선원과 순례자들에게 제공하는 영적 지도와 지원에 큰 역할을 했습니다. 이 방에서 이루어진 고해성사는 엄격하게 비밀로 유지되어 수도원 내에서의 성사의 신성하고 사적인 성격을 강조했습니다.

8) 성구 보관실(Sacristia)

1517년에서 1520년 사이에 지어진 성구 보관실은 르네상스 양식의 중앙 기둥에서 뻗어 나온 아치형 천장이 있는 넓은 홀로, 옛 성당의 흔적이 남아 있습니다. 특히 17세기에 만들어진 장식용 상자는 오늘날에도 전례복을 보관하는 데 사용되고 있습니다. 벽에는

1600~1610년에 시망 로드리게스(Simão Rodrigues)가 그린 성 제롬의 생애를 그린 14점의 유화 작품이 장식되어 있습니다.

- 동양을 향한 성 제롬의 출발하는 장면: 이 그림은 성 제롬이 성경과 원문의 언어에 대해 더 많이 배우기 위해 동료들과 함께 로마를 떠나 동방으로 여행하는 모습을 보여줍니다. 성 제롬은 추기경의 신분을 상징하는 붉은 망토를 입고 신앙을 상징하는 십자가를 들고 있는 모습입니다. 그는 작별 인사를 하는 사람들에게 둘러싸여 있으며, 그 중 일부는 울고 있습니다. 배경은 로마 시가지와 티베르 강을 묘사하고 있습니다.

- 악마는 성 제롬에게 이단 서적을 주는 장면: 이 그림은 성 제롬이 악마의 유혹을 받아 거짓 교리가 담긴 책을 읽는 장면을 묘사한 것입니다. 악마는 뿔과 날개, 발톱을 가진 어두운 모습으로 성 제롬의 뒤에 몰래 숨어 그의 책을 이단 서적과 바꿔치기하는 모습으로 그려져 있습니다. 성 제롬은 속임수를 알아차리지 못하고 계속 책을 읽으며 동료들은 걱정스러운 표정으로 지켜봅니다. 배경은 산과 나무가 있는 풍경을 보여줍니다.

- 이단 서적을 소지했다는 이유로 천사들에 의해 성 제롬이 재판을 받고 채찍질을 당하는 장면다: 이 그림은 성 제롬이 이단 서적을 읽은 죄로 천사들로부터 받은 벌을 묘사한 것입니다. 그는 바닥에 누워 말뚝에 묶인 채 두 천사에게 채찍질을 당하고 있는 모습입니다. 그의 동료들은 겁에 질려 개입하려 하지만 다른 천사에 의해 저지당합니다. 배경에는 폭풍우가 치는 하늘과 이단 서적들을 태우는 불이 그려져 있습니다.

- 성 제롬이 안디옥 주교로부터 사제 서품는 장면: 이 그림은 성

제롬이 안디옥 주교 파울리누스에게 사제 서품을 받는 순간을 묘사한 작품입니다. 그는 주교 앞에 무릎을 꿇고 머리에 손을 얹고 있습니다. 그의 동료들이 증인으로 참석하고 있으며, 그들 중 일부는 책과 촛불을 들고 있습니다. 배경은 제단과 십자가가 있는 교회 내부를 보여줍니다.

- 성 제롬이 칼키스에서 은둔자들과 함께 공부하는 장면: 이 그림은 성 제롬이 칼키스 사막에서 은둔하며 기도와 연구에 전념했던 삶을 묘사한 작품이에요. 그는 책과 두루마리에 둘러싸인 동굴에 앉아 있는 모습을 보여줍니다. 그는 충성심의 상징인 개와 자신의 죽음을 상기시키는 해골을 곁에 두고 있습니다. 다른 두 명의 은둔자가 그를 찾아와 음식과 물을 가져다줍니다. 배경은 바위와 선인장이 있는 황량한 풍경입니다.

- 성 제롬이 성경을 라틴어로 번역하는 장면: 이 그림은 성 제롬의 가장 유명한 업적인 히브리어와 그리스어 성경을 라틴어로 번역한 '불가타(Vulgate)'를 표현한 작품입니다. 성 제롬은 책상에서 펜을 들고 책을 앞에 두고 작업하는 모습을 보여줍니다. 다른 책을 들고 있는 한 청년과 동굴 입구를 지키고 있는 사자가 그를 돕고 있습니다. 배경에는 성 제롬이 한동안 살았던 베들레헴 시내의 풍경이 그려져 있습니다.

- 성 제롬이 교황 다마수스로부터 편지를 받는 장면: 이 그림은 성 제롬이 다마수스 교황으로부터 라틴어 성경의 개정을 의뢰하는 편지를 받는 모습을 보여줍니다. 제롬은 편지를 손에 들고 있고 동료들은 호기심 가득한 표정으로 바라보고 있습니다. 편지에는 교황의 인장이 찍혀 있으며, 교황은 벽에 걸린 초상화에도 그려져 있

습니다. 배경은 창문과 커튼이 있는 방을 보여줍니다.

- 성 제롬은 마리아의 처녀성을 수호하는 장면: 이 그림은 성 제롬이 예수의 어머니인 마리아의 동정녀 탄생 교리를 부정하는 이단자 헬비디우스에 맞서 동정녀 탄생 교리를 옹호하는 모습을 묘사한 것입니다. 그는 자신의 오류가 담긴 책을 들고 있는 헬비디우스와 논쟁을 벌이는 모습을 보여줍니다. 성 제롬은 자신의 입장을 뒷받침하는 성경 구절을 가리키고 동료들은 이를 주의 깊게 경청합니다. 배경에는 책꽂이가 있는 도서관과 지구본이 그려져 있습니다.

- 성 제롬과 사자: 이 그림은 성 제롬에 관한 가장 유명한 전설 중 하나인 사자와 친구가 된 이야기를 묘사한 작품입니다. 제롬은 사자의 존재에 겁에 질린 한 무리의 수도사들 앞에 서 있는 모습을 보여줍니다. 제롬은 그들을 진정시키고 사자는 무해하며 자신이 사자의 발에 박힌 가시를 제거해 주었다고 설명합니다. 사자가 성 제롬의 손을 핥는 모습과 수도사들이 놀란 표정으로 바라보는 모습이 그려져 있습니다. 배경은 분수와 나무가 있는 수도원 안뜰을 보여줍니다.

- 성 제롬과 추기경의 모자: 이 그림은 성 제롬에 대한 또 다른 전설, 즉 그가 추기경의 모자를 받게 된 이야기를 보여줍니다. 추기경이 감방에 앉아 책을 읽고 있을 때 전령이 모자와 교황의 편지를 들고 도착하는 장면이 그려져 있습니다. 이 모자는 교황이 현대적 의미의 추기경이 아니라 교황의 측근이자 친구였던 성 제롬에게 부여한 존엄과 권위의 상징입니다. 배경에는 창문이 있는 벽과 성모 마리아의 그림이 그려져 있습니다.

- 성 제롬과 최후의 심판의 환상: 이 그림은 성 제롬이 최후의 심

판에서 그리스도와 천사들의 심판을 받는 죽은 자의 영혼을 본 환상을 묘사한 것입니다. 그는 침대에 누워 눈을 크게 뜨고 두 손을 깍지 낀 채 기도하는 모습을 보여줍니다. 그의 옆에는 촛불을 들고 있는 한 청년과 그를 지켜보는 사자가 함께 있습니다. 배경은 구름과 불꽃이 있는 어두운 하늘로, 의인과 악인의 영혼이 분리되어 있는 곳입니다.

- 성 제롬의 죽음: 이 그림은 제자들과 친구들에게 둘러싸여 감방에서 평화롭게 죽음을 맞이한 성 제롬의 죽음을 묘사한 작품입니다. 그는 손에 십자가를 들고 머리에는 후광을 두른 채 침대에 누워 있는 모습입니다. 그의 곁에는 마지막 의식을 집전하는 사제와 책을 들고 있는 수도사가 있습니다. 그의 동료들은 그의 죽음을 애도하고 사자는 그의 발밑에서 쉬고 있습니다. 배경은 창문과 커튼이 있는 벽을 보여줍니다.

- 성 제롬의 매장: 이 그림은 성경을 번역한 동굴에 묻힌 성 제롬의 매장 장면을 묘사한 작품입니다. 제롬은 천으로 덮인 관에 담겨 있으며, 동료들이 그를 무덤으로 옮기고 있습니다. 그 뒤에는 노래와 기도를 하는 수도사 행렬이 뒤따릅니다. 사자 역시 그의 충성심과 애정의 표시로 등장합니다. 배경에는 십자가와 묘비가 있는 바위 풍경이 그려져 있어요.

- 성 제롬의 영광: 이 그림은 성인으로 시성되고 교회 박사로 인정받은 성 제롬의 영광을 기념하는 그림입니다. 성 제롬은 천사들과 성인들에게 둘러싸여 하늘에서 그를 환영하고 존경하는 모습을 보여줍니다. 그는 순교를 상징하는 붉은 옷을 입고 있으며, 그의 학문을 상징하는 책과 펜을 들고 있습니다. 보좌에 앉은 그리스도와

그 옆에 서 있는 마리아가 그에게 왕관을 씌워주고 있습니다. 배경은 별과 구름이 있는 황금빛 하늘입니다.

9) 회랑: 돌의 걸작

제로니무스 수도원의 회랑은 포르투갈의 옛날 건축 스타일인 마누엘 양식의 아름다운 손길과 새로운 건축 방법을 볼 수 있는 곳입니다. 이곳은 가로세로 모두 55미터인 큰 정사각형 모양으로, 수도원의 크고 웅장한 모습을 잘 보여줍니다. 디오구 드 보이타카(Diogo de Boitaca)가 처음 만들고 후안 데 카스티요(João de Castilho)가 끝마친 복도에는 넓은 구부린 모양과 잘 다듬어진 돌로 만든 창문이 돋보입니다. 아래쪽은 전통적인 장식이 많고 위쪽은 좀 더 깊게 파여 있어서, 여기를 찾는 사람들에게 수도원의 화려함을 다양하게 보여줍니다. 이 복도는 종교적인 중요성뿐만 아니라, 포르투갈이 얼마나

강력한 나라였는지를 보여주는 공간으로, 사람들이 오랜 시간동안 이 건축물의 아름다움에 감탄하게 만듭니다.

수도원의 회랑은 당시의 부와 성공을 보여주듯이, 마누엘 양식과 르네상스 양식의 여러 건축적 장식과 세부사항으로 가득 차 있습니다. 안쪽 벽에는 바다를 주제로 한 것과 유럽, 아랍, 아시아 문양이 섞인 마누엘 양식의 장식이 있습니다. 카스틸류가 만든 마당 바깥쪽 벽에는 스페인 플라테레스코 양식의 아름다운 장식과 구부러진 모양의 아치가 있습니다. 이 회랑 안에 있는 모든 멋진 장식과 세부묘사는 수도원의 문화와 예술적 가치를 깊이 있게 보여주고, 이 멋진 건축물을 만든 사람들의 솜씨와 예술적인 생각에 감탄하게 만듭니다.

10) 식당

제로니무스 수도원의 식당(O refeitório)은 1517년과 1518년 사이, 장인 레오나르두 바스(Leonardo Vaz)의 지휘로 만들어졌습니다. 움푹 패인 다중아치의 천장은 당시 유행했던 마누엘 양식의 특징을 잘 보여주고 있습니다. 성 제롬 수도회의 수도사들이 공동으로 식사를 했던 장소지만 수도회가 해산된 직후에는 불우청소년 자립지원 교육기간인 까자 피아(Casa Pia)의 학생들이 이곳에서 단체 식사를 하는 곳으로 운영된 적도 있습니다.

이곳의 벽은 1780~1785년에 만들어진 아줄레주 타일로 덮여 있습니다. 신약성서에 나오는 오병이어의 기적, 즉 예수님이 한 아이로부터 받은 빵 다섯 개와 물고기 2마리로 5천 명을 먹인 기적에 대해서 묘사하고 있으며, 또 다른 아줄레주는 구약성서 창세기 마지막 이야기인 이집트 요셉의 생애에 대해서 묘사하고 있습니다. 북쪽 벽면에는 왕실 화가 아벨라르 흐벨루(Avelar Rebelo)의 17세기 작품 성 제롬의 그림이 걸려 있으며 남쪽에는 안토니우 카펠루(António Campelo)의 16세기 작품으로 1992년에 복원된 벽화 유화 '양치기들의 숭배(Adoração dos Pastores)'가 있습니다.

11) 사자 분수

회랑의 북동쪽 중앙에는 사자 분수(Fonte do Leão)가 있습니다. 제로니무스 수도원 식당 입구에 가까이 있다는 점에서 짐작하겠지만 수도사들이 식사 전 손을 씻는 장소로 사용되었습니다. 사자 분수와 관련된 전설에 따르면 분수대에 조각된 사자 발에 손을 대고 소원을 빌면 그 소원이 이루어진다고 합니다. 많은 동물들 중에서 굳이 사자 분수인 이유는 앞에서 설명했듯이 성 제롬의 일화와 관련된 상징적인 동물이기 때문입니다.

12) 페르난두 페소아의 무덤

1966년 국립 판테온이 130년만에 완공되기 전까지 제로니무스 수도원은 포르투갈에 큰 기여를 한 인물들을 기리는 판테온의 역할을 수행했습니다. 그러나 국립 판테온의 완공으로 많은 무덤들이 그곳으로 옮겨졌고 현재 제로니무스 수도원에는 왕실 무덤을 제외하고 단 4개의 무덤만 남아있습니다. 앞에서도 설명했던 시인 카몽이스, 탐험가 바스코 다 가마, 역사가 알렉산드르 에르쿨라누, 그리고 바로 시인 페르난두 페소아입니다.

한국에서도 '불안의 서'라는 작품으로 유명한 페르난두 페소아는 포르투갈에서 가장 사랑받는 국민 시인이라고 할 수 있습니다. 1935년 47세의 나이로 사망한 그는 프라제레스 묘지에 묻혔으나

1985년 사망 50주년을 기념하여 제로니무스 수도원으로 이장되었습니다. 이런 결정은 포르투갈 문학에 대한 그의 엄청난 공헌과 포르투갈의 거장 중 한 명인 그의 위치를 상징하기 때문에 문화적, 문학적으로 큰 의미를 지니고 있습니다. 그의 무덤에 만들어진 기념비는 조각가 라고아 엔히크스(Lagoa Henriques)가 만들었는데 그의 대표작 중 하나가 리스본 시아두에 있는 브라질레이라 카페 앞 페소아 청동상입니다.

13) 사제단 회의실

사제단 회의실로 번역할 수 있는 챕터룸(Sala do Capítulo)은 이름 그대로 수도승 사제단 회의를 위해 만들어졌을 것 같지만 19세기까지 완성되지 않았기에 실제 회의가 진행된 적은 한 번도 없는 회의실입니다. 1517년에서 1518년 사이에 호드리구 드 폰트질랴

(Rodrigo de Pontezilha)가 문을 장식했으며 국립 판테온이 완공되기 전까지 임시 판테온의 역할을 수행했습니다. 오늘날에는 역사가 알렉산드르 에르쿨라누의 무덤만이 이곳을 지키고 있습니다.

알렉산드르 에르쿨라누(Alexandre Herculano는 1810년 3월 28일 리스본에서 태어난 포르투갈 작가, 역사가, 언론인, 시인입니다. 그는 평생 입헌 군주제와 사회 발전을 옹호하며 자유주의적 이상에 헌신했습니다. 정치적 임명직과 명예는 거절했지만, 저술과 학문적 탐구를 통해 포르투갈의 지성 생활에 계속 기여했습니다. 에르쿨라노의 원칙과 가치에 대한 헌신은 그의 작품에 반영되어 포르투갈 문학과 역사학의 핵심 인물로 인정받았습니다. 그는 1877년 9월 13일 67세 세상을 떠났고 제로니무스 수도원에 안장되었습니다.

14) 2층 성가대 공간

앞에서 설명한 사제단 회의실이 19세기까지 미완성으로 남아있었기 때문에 제로니무스 수도원 수도사들의 기본적인 활동이 바로 이곳 2층 성가대 공간에서 이루어졌습니다. 성가대 단상은 디오구 드 토할바(Diogo de Torralva)가 디자인하여 디오구 드 사르사(Diogo de Sarça)가 1548년에서 1550년 사이에 제작했습니다. 성 아우구스티누스의 규칙에 따라 제로니무스 수도사들이 하루 7시간 동안 기도와 명상을 하는 공간으로 사용되었습니다.

이곳에 있는 '십자가에 못박힌 그리스도'(1550) 상은 플랑드르 조각가 필리프 드 브리(Philippe de Vries)가 나무로 조각하고 그 위에 칠을 하여 완성했습니다. 이 조각상을 의뢰한 이는 마누엘 1세의 아들인 베자 공작 루이스 왕자로 영국 최초의 여왕이자 블러드 메리로 유명한 영국의 메리 여왕과 약혼한 적이 있으나 결혼이 이루어지지는 못했습니다. 포르투갈이 당시 영국과 전쟁 중인 프랑스와 동맹관계이기도 했고, 개신교였던 메리와 달리 루이스는 가톨릭신자여서 종교적인 갈등도 있었던 것으로 알려졌습니다.

15) 도서관

2층에 위치한 도서관(livraria 또는 biblioteca)은 1640년경에 설립되어 1834년 수도원이 해산될 때까지 약 8,000권의 장서를 소장하고 있었습니다. 이곳에 있었던 책들은 국립 도서관으로 옮겨진 것으로 알려져 있습니다. 현재는 제로니무스 수도원 500년사를 정리하고 알리는 상설 전시관으로 사용되고 있습니다.

16) 천사

성 제롬 수도회 수도사들의 기도와 묵상을 위한 장소로 사용되었던 제로니무스 수도원은 엄청난 수의 천사로도 유명한데 다양한 크기와 형태로 약 3000개 정도의 천사 조각이 있는 것으로 추정되고 있습니다.

MIRA
HARMONIA
INCOLUMIDADE
DA SAUDE
OS BOSQUES
OS CAMPOS
E SEUS *NUMINA*

국립 고고학 박물관

1893년 선각자 주제 레이트 드 바스콘셀루스(José Leite de Vasconcellos)가 설립한 국립 고고학 박물관(Museu Nacional de Arqueologia)은 포르투갈 고고학 유산의 풍부한 콜렉션을 통해 시간 여행을 떠나려는 여행자들을 초대합니다. 고대 문명의 비밀을 속삭이는 벽과 모든 유물이 삶과 사랑, 끊임없는 시간의 행진에 대한 이야기를 들려주는 곳입니다.

19세기 신고전주의 양식으로 지어진 박물관에 들어서면 포르투갈의 다양한 역사의 메아리가 여러분을 맞이합니다. 바스콘셀루스의 '포르투갈 민족지 박물관' 설립에 대한 꿈에서 시작된 이곳은 과거의 그림자를 비추는 지식의 등불로 꽃을 피우고 있습니다. 이 박물관은 포르투갈 사람들의 삶의 본질을 담아내는 것을 목표로 포르투갈 사람들이 누구이며 어디에서 왔는지 이해하려는 끊임없는 노력의 증거입니다.

박물관의 심장은 50만 년이 넘는 인류 존재의 모자이크인 소장품을 통해 뛰고 있습니다. 포르투갈 전역과 그 너머에서 수집한 유물에는 초기 인류의 소박한 시작부터 로마 모자이크의 화려함, 철기 시대 장신구의 정교한 아름다움, 이집트 장례 예술의 엄숙함에 이르기까지 역사의 단편이 담겨 있습니다. 이 박물관에는 돌에 새겨진 이야기와 수백 년 된 유물들이 속삭이고 있어 방문객들은 시간의 연대기 속으로 빠져들게 됩니다.

국립고고학박물관은 단순한 유물 보관소가 아니라 학습과 발견의 중심지이기도 합니다. 연구와 보존에 대한 헌신을 통해 지식의 씨앗을 키우고, 각 유물이 오래도록 보존될 뿐만 아니라 인류의 과거에 대해 가르쳐줄 수 있도록 합니다. 박물관의 과학 저널인 '포르투갈 고고학(O Arqueólogo Português)'은 전 세계 학자들을 연결하는 가교 역할을 하며 인류 역사의 신비를 밝히는 데 전념하는 커뮤니

티를 육성하고 있습니다.

유서 깊은 제로니무스 수도원 안에 자리한 이 박물관은 인류 역사의 거대한 모자이크에서 우리의 위치를 되돌아볼 수 있는 계기를 제공합니다.

해양 박물관

제로니무스 수도원의 서쪽 건물에 자리 잡은 해양 박물관(Museu de Marinha)은 포르투갈의 웅장한 해양 이야기를 속삭이는 곳입니다. 이 항해 역사의 성지는 과거로 통하는 시간여행이 되어, 모든 전시물과 유물이 한때 미지의 세계로 항해하여 지금의 세계를 형성한 탐험가들의 이야기에 생명을 불어넣고 있습니다.

입구에 들어서면 포르투갈 대항해 시대를 열었던 항해왕 엔히크 동상을 만나게 됩니다. 1863년 처음 시작되어 1962년에 제로니무스 수도원 건물로 이전한 이 공간은 모험 정신과 미지의 세계를 향한 끊임없는 추구로 가득 차 있습니다. 복잡한 바크선에서 견고한 포르투갈 나우에 이르기까지 선박의 계보를 추적하는 모형을 통해 대담한 항해와 조선의 진화에 대한 이야기가 가득합니다.

박물관의 핵심은 컬렉션입니다. 다양한 시대의 선박 모형, 한때 미래를 향해 했던 성반(천문도구), 바다에서의 삶의 본질을 포착한 해양 회화, 경계를 재정의한 16세기 지도의 복제품 사이에서 시간이 멈춰 있는 듯합니다. 인간의 독창성과 용기에 대한 찬사이며, 각 작품마다 직면한 도전과 극복에 대한 이야기가 담겨 있습니다.

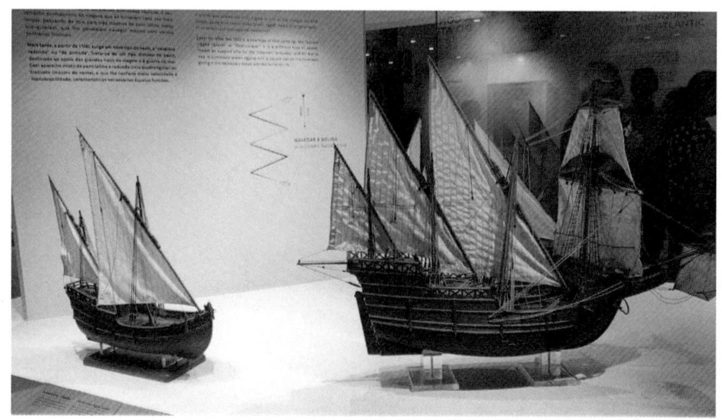

보물 중에는 대천사 성 라파엘의 나무 조각상이 침묵의 수호자처럼 서 있습니다. 이 조각상은 바스코 다 가마와 함께 인도로 항해하며 여러 세계의 융합을 목격했습니다. 카를로스 1세 왕의 요트 아말리아 호의 왕실 스위트룸은 과거 시대의 속삭임을 연상시키며 바다에서의 왕실 생활을 엿볼 수 있게 해줍니다. 이 유물들은 단순한 물건이 아니라 꿈과 용기, 발견을 향한 영원한 탐구의 흔적입니다.

또한 박물관은 인터랙티브 전시를 통해 역사가 펼쳐지는 교육의 안식처이기도 합니다. 1785년 왕실 결혼식을 축하하기 위해 만들어진 갤리엇과 1922년 남대서양을 정복한 수상비행기는 단순한 전시물이 아니라 포르투갈의 해양 업적에 대한 여행의 초대장입니다.

PLANETÁRIO DE MARINHA
UM NOVO MUNDO À SUA ESPERA

해양 천문대

한때 칼루스트 굴벤키안 천문대라고 불렸던 이 해양 천문대(Planetário de Marinha)는 인간의 호기심과 우리를 품고 있는 우주를 이해하려는 끝없는 탐구의 증거로 서 있습니다.

이 탐험의 등대가 처음 문을 연 것은 1965년 7월 20일, 칼루스트 굴벤키안의 사망 10주기를 기념하는 날이었습니다. 이 날은 평범한 개관식이 아니라 별에 매료된 한 해군 장교가 품었던 꿈이 실현되는 날이었습니다. 에우제니우 콘세이싸웅 실바(Eugénio Conceição Silva)는 천문학자의 열정과 항해사의 정확성을 바탕으로 하늘을 지상으로 끌어내려 모든 사람이 볼 수 있는 공간을 구상했습니다. 그리고 포르투갈 해군과 칼루스테 굴벤키안 재단의 파트너십을 통해 그의 꿈은 현실이 되었습니다.

건축가 프레데리쿠 조지(Frederico George)가 설계한 이 건물은 1963년 9월에 건설이 시작되었습니다. 이곳에서 40년 동안 천체의 경이로움에 대한 이야기를 들려주던 수동식 경이로운 기계인 Zeiss UPP 23/4 광학 프로젝터의 돔 아래 밤하늘의 천이 투사되었습니다. 이곳에서는 시간이 멈추고 방문객들은 먼 은하계와 고대 별자리로 이동했습니다.

시간이 흐르면서 해양 천문대는 진화했습니다. 2002년에는 최첨단 자이스 광학 프로젝터인 유니버시아리 모델 IX를 도입하면서 새로운 장이 열렸습니다. 이러한 변화는 과학기술부와 포르투갈 해군 간의 협약에 따른 것으로, 해양 천문대는 국립 과학보급 네트워크(Centro Ciência Viva)로 승격되었습니다. 그러나 디지털 시대가 도래하면서 진정한 매력과 교육을 위해서는 전통과 혁신이 조화를 이루어야 한다는 인식이 확산되었습니다.

그리하여 새로운 비전인 하이브리드 프로젝션 시스템이 등장했습니다. 이 혁신적인 접근 방식은 고전적인 광학 프로젝션과 8개의 LED VELVET 프로젝터로 구성된 디지털 풀돔 시스템을 결합했습니다. 별과 이야기로 가득한 이 완벽한 캐노피는 천문학뿐만 아니라 생명과학, 역사, 스포츠, 심지어 추상적인 음악 공연까지 돔 아래에서 생생하게 구현했습니다.

천문학의 수호자로서의 역할을 넘어 상상을 뛰어넘는 여행을 위한 그릇이 된 해양 천문대. 리스본을 떠나지 않고도 우주를 횡단하며 영혼을 자극하고 경이로움을 불러일으키는 방식으로 과학을 접할 수 있는 곳이 바로 이곳입니다.

해군 사령관부터 제독에 이르기까지 유서 깊은 과거와 야심 찬 감독을 통해 이곳은 유럽에서 두 번째로 크고 기술적으로 가장 진보된 디지털 천문대가 되어 역사의 한 획을 그었습니다. 인류와 하늘을 잇는 다리이자 과학과 감성이 만나는 곳이며, 모든 방문객이 자신만의 천상의 항해를 시작하도록 초대하는 곳입니다.

벨렝 문화센터

제국의 광장 정원 서쪽편에는 문화뿐 아니라 꿈과 열망, 끊임없는 발견 정신의 성지가 자리 잡고 있습니다. 벨렝 문화센터(Centro Cultural de Belém, CCB)로 알려진 이곳은 단순한 건축물의 경이로움을 넘어 예술, 음악, 인간관계라는 보편적인 언어를 통해 세계와 끊임없이 대화하는 한 국가의 여정을 보여주는 증거입니다.

CCB의 이야기는 포르투갈의 유럽연합 의장국(1992년)을 상징하는 등대 역할을 하겠다는 야망에서 시작됩니다. 하지만 1988년 9월에 기초를 닦고 5년 후 완성된 CCB는 원래의 의도보다 훨씬 더 넓고 매혹적인 공간으로 변모했습니다. 마누엘 살가두(Manuel Salgado)와 비토리오 그레고티(Vittorio Gregotti)의 선견지명이 빚어낸 CCB는 방문하는 모든 이들을 탐험과 경이로움의 여행으로 초대합니다.

역동적인 공간에 들어서면 클래식 콘서트의 리듬에 맞춰 춤추고, 극장 공연의 커튼 사이로 속삭이고, 영화제의 스크린을 통해 반짝이는 문화 체험의 만화경이 펼쳐집니다. 주말마다 활기를 띠는 프리마켓, 심장을 뛰게 하는 댄스 이벤트, 무대에서 하늘을 향해 솟아오르는 모든 음표에서 예술은 단순히 보는 것이 아니라 살아 숨 쉬는 것입니다.

CCB는 영혼의 안식처일 뿐만 아니라 감각을 위한 성역이기도 합니다. 올리브 정원(Jardim das Oliveiras), 물의 정원(Jardim da Água), 강의 정원(Jardim do Rio)에서는 테주 강에서 불어오는 부드러운 바람을 맞으며 하루가 펼쳐지는 모습을 바라볼 수 있는 아름다운 자연 속에서 휴식을 취할 수 있습니다. 이 정원에서는 식사를 음미하는 단순한 행위가 주변 풍경과 어우러져 분주한 도시 생활 속에서 평화의 순간이 됩니다.

벨렝 문화센터를 거니는 것은 끝없는 발견과 경이로움의 여정을 떠나는 것과 같습니다. 구석구석 새로운 이야기가 있고, 모든 공연이 새로운 감동을 주며, 모든 방문이 꿈으로 초대되는 곳입니다. 이곳의 벽과 정원 안에는 창의성과 인간 표현의 아름다움에 빠져들고자 하는 사람들을 위한 오아시스가 있으며, 리스본의 예술에 대한 끊임없는 사랑을 보여주는 생생한 증거입니다.

FUTURO
DE ARTE
CONTEMPORÂNEA
MAC/CCB
CCB
UM CHÃO COMUM
COMMON GROUND

벨렝 현대미술센터

근대성의 메아리와 현대 뮤즈의 속삭임이 얽혀 있는 신성한 공간인 베라르두 미술관(Museu Coleção Berardo)은 예술 순례자들에게 20세기의 영혼을 자극하는 시대를 거쳐 현재의 맥박을 느낄 수 있는 여행을 제공했습니다.

2007년 6월 25일 여름 햇살 아래 개관한 베라르도 미술관은 근현대 미술 세계와 교감하고자 하는 애호가와 초심자 모두에게 시금석으로 급부상했습니다. 처음에는 총 3억 6천만 유로에 달하는 862점의 걸작을 보유한 보물창고였던 이 컬렉션은 마치 보석과도 같은 가치를 지니고 있었으며, 움직임과 선구자들의 모자이크와도 같았습니다. 그중에는 피카소, 달리, 몬드리안, 폴록과 같은 전설적인 화가들의 붓놀림이 시각 언어를 재정의하고 그들의 천재성을 목격하는 사람들의 상상력에 불을 지피는 작품이 포함되어 있습니다.

미술관의 상설 전시는 두 층에 걸쳐 펼쳐지는 하나의 오케스트라 교향곡과도 같았습니다. 위층에서는 현대 미술의 미로를 통과할 수 있습니다: 입체파의 기하학적 신비, 다다의 도발적인 농담, 팝아트의 활기찬 문화 비판 등 현대 미술의 미로를 통과할 수 있습니다. 아래층으로 내려가면 1960년 이후의 대담한 움직임, 즉 미니멀리즘의 고요한 절제, 개념주의의 지성, 랜드 아트의 지상의 웅장함을 만나며 시간을 거슬러 올라갑니다.

베라르두 미술관은 캔버스와 조각의 조용한 파수꾼을 넘어 문화 프로그램의 모자이크를 통해 손을 뻗었습니다. 가이드 투어는 예술 거장과의 친밀한 대화로, 가족 워크숍은 피카소, 달리, 워홀 및 그 형제들의 영혼과 새로운 세대가 만나는 연금술 같은 공간으로 변모했습니다. 900점이 넘는 방대한 작품으로 구성된 미술관의 선집은 예술의 흐름과 저류를 탐색하는 아틀라스 역할을 했습니다.

2022년을 끝으로 베라르두 미술관이라는 이름은 마지막을 맞이했지만, 그 심장 박동은 이제 후임 미술관인 벨렝 현대미술센터(MAC-CCB)에서 다시 울려 퍼지고 있습니다. 이러한 전환은 끝이 아니라 다시 태어나는 미래, 즉 현대미술이 벨렝 현대미술센터에서 새롭게 번성하고 경이로움을 불러일으킬 새로운 그릇을 찾는 미래로 지속되고 있습니다.

1A400
24/18
PAD
GIANT
New!
Brillo
soap pads
WITH RUST RESISTER
SHINES ALUMINUM FAST
BRILLO MFG. CO., BROOKLYN, N.Y. MADE IN U.S.A.

발견 기념비

발견 기념비(Padrão dos Descobrimentos)는 탐험하고, 찾고, 알고자 하는 갈망의 증거입니다. 흰색의 거대한 기념비가 하늘을 향해 우뚝 솟아 있어, 당시 탐험가들이 가졌던 바로 그 열망처럼 보입니다.

테주 강이 육지의 가장자리에 입 맞추는 부둣가에 자리 잡은 이 기념비는 1960년, 항해왕 엔히크 왕자가 세상을 떠난 지 500년 만에 탄생했습니다. 이 기념비는 지도에 용이 가득하던 시대이자 용감한 선원들이 별과 믿음으로 항해하던 포르투갈의 대항해 시대를 기리는 찬가입니다. 기념비는 그 자체로 꿈을 수평선 너머로 실어 나른 단단한 선박인 캐러벨 모양을 하고 있으며, 세계의 가장자리 너머로 모험을 떠난 포르투갈의 아들과 딸들을 상징하는 조각상으로 장식되어 있습니다.

엔히크 왕자가 캐러벨 함선 모형을 손에 들고 단호한 눈빛으로 바다를 응시하고 있습니다. 그의 뒤에는 모험의 속삭임이 들리는 듯한 세심하게 조각된 인물들의 행렬이 이어집니다. 이 돌로 된 파수꾼들 중에는 브라질과 아시아 탐험가, 시인, 수도사, 지도 제작자 등이 포함되어 있으며, 이들은 알려진 땅들을 조각보처럼 이어 붙이는 데 각자의 역할을 했습니다.

이 거대한 기념비 옆의 땅에는 포르투갈 탐험가들이 한때 대서양을 가로지르며 그렸던 전 세계적인 항로가 모자이크로 된 지도(Rosa-dos-ventos, 바람의 장미)가 새겨져 있습니다. 별과 무모함만을 길잡이 삼아 그런 항해에 나섰던 대담함에 놀라지 않을 수 없습니다.

이 웅장한 기념비 내부에는 강당과 전시관이 있으며, 엘리베이터를 타고 올라가면 테주 강과 전설적인 벨렝 탑의 전망을 감상할 수 있습니다. 이 전망대에서는 역사가 과거에 일어난 일처럼 느껴지지 않습니다. 마치 손을 뻗어 그 흐름을 어루만질 수 있을 것처럼 생생하게 느껴집니다.

하지만 발견 기념비도 시대의 변화에 따라 논란의 중심이 되었습니다. 그 존재 자체가 제국주의와 노예무역, 그리고 식민지 확장에 대한 논의를 불러 일으키고 역사를 어떻게 재평가할 것인가에 대해 문제의식을 제기하고 있습니다. 이 기념비는 우리가 역사의 어두운 장에 어떻게 참여할 것인가에 대한 논의의 초점이 되었습니다.

결론적으로 발견 기념비는 단순한 돌 그 이상입니다. 그 자체로 하나의 이야기입니다. 포르투갈의 해양 서사시와 그 유산이 우리의 집단 기억에 남긴 흔적에 대해 생각해 볼 수 있는 곳입니다. 이곳을 걷거나 그 높이에 오르는 사람이라면 누구나 과거와 현재를 잇는 다리를 만나게 되며, 탐험의 의미에 대해 생각하게 됩니다.

발견 기념비에 조각된 인물들을 맨 앞에 있는 엔히크 왕자부터 동쪽 면, 서쪽 면 순서대로 소개합니다. 엔히크 바로 뒤에 고개를 들고 칼을 들고 있는 사람이 아폰수 5세(동쪽면)이고, 엔히크 바로 뒤에서 고개를 숙이고 칼을 들고 있는 사람이 페르난두, 성스러운 왕자(서쪽면)입니다.

엔히크 왕자(Infante Dom Henrique, 항해가)

항해왕 엔히크라고도 알려진 엔히크 왕자는 포르투갈의 초기 탐험 시대와 대항해 시대의 중추적인 인물입니다. 1394년 3월 4일 포르투에서 태어난 그는 포르투갈의 주앙 1세 국왕과 필리파 드 랭커스터 여왕의 다섯 번째 자녀였습니다. 엔히크 왕자의 선구적인 리더십과 해양 탐험에 대한 후원은 포르투갈 탐험의 확장과 대항해

시대의 시작에 큰 영향을 미쳤습니다. 그는 1415년 세우타 정복에 결정적인 역할을 했으며 수많은 해양 탐험을 장려하고 지원하여 포르투갈 항해와 탐험의 발전에 기여했습니다.

1) 동쪽면

아폰수 5세(Afonso V, 포르투갈 국왕)

아폰수 5세는 1438년부터 1481년 사망할 때까지 포르투갈과 알가르브의 왕으로 통치했습니다. 1432년 1월 15일 신트라에서 태어난 그는 6살에 왕위에 올랐으며 학문과 다양한 지적 추구에 깊은 관심을 보였습니다. 아프리카에서의 포르투갈의 영향력을 확대하려는 중요한 업적을 남겨 아프리카의 아폰수라는 별명을 갖고 있습니다.

바스코 다 가마(Vasco da Gama, 인도 항로 발견자)

포르투갈의 유명한 항해사이자 탐험가인 바스코 다 가마는 유럽 최초로 인도항해에 성공한 선박의 지휘관입니다. 바스코 다 가마의 15세기 후반 인도 탐험은 인도로 향하는 바닷길을 개척한 해양 역사에 중요한 이정표가 되었습니다. 그의 항해술과 관련된 전문 지식 및 리더십 덕분에 유럽과 아시아 간의 직접 해상 무역을 확립하는 길을 열렸고, 전 세계 상업과 항해에 큰 영향을 미쳤습니다.

아폰수 곤살베스 발다이아(Afonso Gonçalves Baldaia, 항해사)

15세기 포르투갈의 항해사이자 탐험가인 아폰수 곤살베스 발다

이아는 초기 해양 탐험에서 중요한 역할을 했습니다. 그는 테르세이라 섬을 식민지로 개척했으며, 아프리카 서부 해안 탐험에 크게 공로를 세웠습니다. 새로운 영토의 발견을 포함한 그의 탐험과 항해 업적은 포르투갈의 해양 영향력 확대에 기여했습니다.

페드루 알바레스 카브랄(Pedro Álvares Cabral, 브라질의 발견자)

귀족이자 군 사령관, 항해사, 포르투갈 탐험가인 페드루 알바레스 카브랄은 브라질의 발견자로 인정받고 있습니다. 카브랄은 남미 북동부 해안을 탐험하며 포르투갈의 영토를 확대해 나갔습니다. 1500년 그의 브라질 탐험과 그 이후의 탐험은 포르투갈 영토 확장과 브라질의 초기 역사에 기여했습니다.

페르나옹 드 마갈냐이스(Fernão de Magalhães, 세계 최초 세계 일주)

페르디난드 마젤란으로도 알려진 페르나옹 드 마갈냐이스는 포르투갈의 선구적인 탐험가이자 항해사로, 최초의 세계 일주 탐험을 이끈 인물입니다. 포르투갈에서 태어났지만 나중에 스페인 왕실에 봉사하며 역사적인 세계 일주 항해를 계획하고 지휘했습니다. 1519년에 시작된 그의 탐험은 필리핀 막탄섬에서 원주민과의 갈등 중 사망으로 중단되었지만 그의 부하들이 나머지 구간을 완주하였고, 10년 전 반대방향으로 필리핀까지 간 적이 있어서 세계 최초의 일주자로 인정받고 있습니다.

니콜라우 코엘류(Nicolau Coelho, 항해사)

포르투갈의 항해사 니콜라우 코엘류는 여러 유명한 해양 탐험에서 중요한 역할을 했습니다. 그는 바스코 다 가마의 역사적인 인도 항해에 참여했으며, 페드루 알바레스 카브랄의 인도행 두 번째 함대에서 배를 지휘하여 브라질을 발견했습니다. 코엘류의 항해 전문 지식과 공헌은 포르투갈의 탐험가들이 브라질 원주민을 만나는데 중요한 역할을 했습니다.

가스파르 코르트 헤알(Gaspar Corte Real, 항해사)

포르투갈 항해사 가스파르 코르트 헤알은 포르투갈 왕실이 후원하는 북서대서양 탐험 항해에 여러 차례 참여했습니다. 그는 아버지와 형과 함께 현재의 캐나다 해안과 북미의 다른 지역까지 도달하는 탐험에 참여했습니다. 그의 탐험 덕분에 다른 유럽인들도 북미 대륙에 대한 지식을 가지고 탐험을 꿈꿀 수 있었습니다.

마르팀 아폰수 드 소우자(Martim Afonso de Sousa, 항해사)

포르투갈의 저명한 항해사이자 탐험가인 마르팀 아폰수 드 소우자는 동쪽 포르투갈 영토를 탐험하고 통치하는 데 중요한 역할을 했습니다. 인도해 함장으로서, 그리고 이후 인도 총독으로서 그의 리더십과 공헌은 인도양 지역에서 포르투갈 영토를 방어하고 확장하는 데 중요한 역할을 했습니다. 포르투갈의 이익을 보호하고 외교 관계를 발전시키기 위한 그의 노력은 포르투갈 식민지 확장의 초기 역사에 큰 영향을 미쳤습니다.

주앙 드 바후스(João de Barros, 연대기 작가)

포르투갈의 저명한 연대기 작가이자 역사가인 주앙 드 바후스는 포르투갈 탐험과 식민지 확장의 역사학에 크게 기여한 인물로 유명합니다. "Décadas da Ásia(아시아에서의 수십년)"를 비롯한 그의 작품은 아시아에서 포르투갈이 이룬 업적과 다양한 문화와의 초기 만남에 대한 귀중한 역사적 기록을 제공했습니다. 바후스의 저술과 역사적 통찰력은 포르투갈 탐험의 초기 역사와 세계와의 만남에 대한 이해를 크게 풍부하게 해주었습니다.

에스테방 다 가마(Estêvão da Gama, 선장)

포르투갈의 군인이자 식민지 행정가인 에스테방 다 가마는 16세기 아버지 바스코 다 가마를 따라 인도로 건너가 인도 총독을 비롯한 여러 중요한 직책을 맡았습니다. 특히, 그는 이 지역에서 오스만 군대를 상대로 군사 작전을 지휘하여 인도양에서 포르투갈의 이익을 수호하는 데 용맹과 전략적 통찰력을 발휘했습니다.

바르톨루메우 디아스(Bartolomeu Dias, 희망봉의 발견자)

포르투갈의 유명한 탐험가인 바르톨루메우 디아스는 아프리카의 남쪽 끝을 발견하여 해양 탐험의 중요한 이정표를 세웠는데, 처음에는 "폭풍의 곶"으로 명명했다가 나중에 "희망봉"으로 이름을 바꿨습니다. 1488년 그의 획기적인 항해는 인도양으로 향하는 바닷길의 문을 열었고, 이후 포르투갈의 동방 탐험을 위한 길을 열었습니다. 디아스의 탐험은 대항해 시대 동안 세계 무역과 항해의 확장에 큰 영향을 미쳤습니다.

디오구 카옹(Diogo Cão, 콩고 강에 최초로 도달)

15세기의 저명한 포르투갈 항해가인 디오구 카옹은 아프리카 서부 해안 탐험을 주도하여 탐험의 중요한 이정표를 세운 인물로 알려져 있습니다. 그는 콩고 강에 도달한 최초의 유럽인으로 콩고 왕국과 초기 관계를 맺어 이 지역에서 포르투갈의 영향력을 확대하는 데 기여한 것으로 알려져 있습니다.

안토니우 드 아브레우(António de Abreu, 항해사)

포르투갈의 항해사이자 해군 장교였던 안토니우 드 아브레우는 15세기 말과 16세기 초 포르투갈의 해양 확장에 중요한 역할을 했습니다. 그는 호르무즈, 말라카, 몰루카 탐험에 참여하여 인도양 지역에서 포르투갈의 이익을 증진하는 데 있어 리더십과 전략적 능력을 보여주었습니다.

아폰수 드 알부케르크 (Afonso de Albuquerque, 인도 제2대 총독)

포르투갈의 저명한 귀족이자 군사 지도자였던 아폰수 드 알부케르크는 포르투갈 인도의 두 번째 총독을 역임했습니다. 그의 재임 기간 동안 고아를 정복하고 인도양에서 포르투갈의 지배권을 확립하는 등 중요한 군사 작전을 수행했습니다. 알부케르케의 전략적 비전과 리더십은 포르투갈의 동아시아 확장과 영향력에 큰 영향을 미쳤습니다.

상 프란시스쿠 샤비에르 (São Francisco Xavier, 성자 선교사)

성 프란시스 자비에르라고도 알려진 상 프란시스쿠 샤비에르는 존경받는 선교사이자 예수회(예수회)의 공동 창립자였습니다. 아시아, 특히 인도와 일본에서의 그의 선교 활동은 이 지역의 기독교 확산에 지대한 영향을 미쳤습니다. 종교 복음화와 인도주의적 노력에 대한 그의 헌신으로 그는 선교사들의 수호 성인으로서 지속적인 유산을 남겼습니다.

크리스토방 다 가마(Cristóvão da Gama, 선장)

포르투갈의 군인이자 식민지 탐험가인 크리스토방 다 가마는 16세기 인도양 지역에서 선장으로 복무했습니다. 그는 오스만 제국 및 현지 세력과의 전투에서 포르투갈 군대를 이끄는 등 군사 탐험과 교전에서 중추적인 역할을 담당했습니다. 그의 용맹함과 리더십은 인도양에서 포르투갈 영토를 방어하고 확장하는 데 기여했습니다.

2) 서쪽면

페르난두, 성스러운 왕자(Fernando, o Infante Santo, 주앙 1세의 아들)

페르난두는 포르투갈 국익을 위해 희생되었기에 성스러운 왕자라는 알려진 포르투갈 역사상 존경받는 인물입니다. 주앙 1세의 막내 아들인 그는 형 엔히크가 이끄는 1437년 북아프리카 군사원정에 참가했다가 대패를 하고 후퇴하는 원정대의 안전을 담보하는 역할로 인질이 되었습니다. 하지만 국익을 이유로 포르투갈 왕실에서 협상조건이었던 세우타 반환을 거부하면서 감옥에서 죽었습니다.

주앙 곤살베스 자르쿠(João Gonçalves Zarco, 항해사)

포르투갈의 유명한 항해사 주앙 곤살베스 자르쿠는 대서양 섬의 초기 탐험과 식민지 개척, 특히 마데이라와 포르투 산투의 발견과 정착에 중추적인 역할을 했습니다. 그의 항해 전문성과 리더십은 포르투갈의 해양 확장에 크게 기여했습니다.

질 이아네스(Gil Eanes, 항해사)

포르투갈의 유명한 항해사 질 이아네스는 특히 이전에는 불가능하다고 여겨졌던 보자도르 곶(Cabo Bojador)을 넘어 항해에 성공함으로써 해양 탐험에 중요한 이정표를 세웠습니다. 그의 용기 있는 항해는 대서양에서 포르투갈의 지식과 영향력을 크게 확장했습니다.

페루 드 알렌케르(Pêro de Alenquer, 항해사)

포르투갈의 항해사 페루 드 알렌케르는 초기 해양 탐험과 포르투갈의 영향력 확대에 중요한 역할을 했습니다. 그의 항해 기술과 공헌은 포르투갈의 탐험을 발전시키고 새로운 무역로를 개척하는 데 중요한 역할을 했습니다.

페드루 누네스(Pedro Nunes, 수학자)

포르투갈의 저명한 수학자인 페드로 누네스는 수학, 항해, 지도 제작 분야에 큰 공헌을 했습니다. 항해와 수학적 원리에 대한 그의 전문 지식은 대항해 시대 포르투갈의 탐험과 항해에 큰 영향을 미쳤습니다.

페루 에스코바르(Pêro Escobar, 항해사)

포르투갈의 숙련된 항해사였던 페루 에스코바르는 15세기에 중요한 해양 탐험에 참여하여 새로운 영토를 탐험하고 지도를 제작하는 데 기여했습니다. 그의 항해 전문 지식과 공헌은 대항해 시대 포르투갈의 해양 탐험을 발전시키는 데 중요한 역할을 했습니다.

자코므 드 마이오르카(Jácome de Maiorca, 지도 제작자)

저명한 지도 제작자인 자코므 드 마이오르카는 대항해 시대에 지리적 지식과 항해술의 발전에 기여했습니다. 그의 지도 제작과 전문 지식은 새로운 영토를 탐험하고 지도를 만드는 데 중요한 역할을 했으며, 포르투갈 항해사들의 해양 탐험을 도왔습니다.

페루 다 코빌냐(Pêro da Covilhã, 여행자)

포르투갈 여행가인 페루 다 코빌냐는 초기 포르투갈 탐험과 외교 임무에서 중요한 역할을 담당했습니다. 그는 동아시아와 아프리카를 여행하며 방문한 지역에 대한 귀중한 정보와 통찰력을 얻었고, 포르투갈의 지식과 영향력을 확장하는 데 기여했습니다.

고메스 이아네스 드 주라라(Gomes Eanes de Zurara, 연대기 작가)

15세기 포르투갈의 연대기 작가인 고메스 이아네스 드 주라라는 제5대 왕립 도서관 관리인을 역임하고 이후 자료보관실(Torre do Tombo)의 관리인을 지냈습니다. 그의 저서인 "기니의 업적 연대기(Crónica dos Feitos da Guiné)"는 포르투갈의 발견과 항해왕 엔히크의 시대에 대한 귀중한 역사적 기록을 제공하여 포르투갈 역사에서 이 중요한 시기에 대한 이해에 기여했습니다.

누누 곤살베스(Nuno Gonçalves, 화가)

15세기 포르투갈의 화가인 누누 곤살베스는 특히 그의 대표작인 "상 비센트 드 포라의 패널"를 통해 포르투갈 예술에 크게 기여한 것으로 유명합니다. 포르투갈 궁정의 저명한 인물들을 사실적이고 강력하게 묘사한 이 유명한 작품은 당시의 예술적, 문화적 풍요로움을 반영합니다.

루이스 드 카몽이스(Luís de Camões, "오스 루지아다스" 저자)

포르투갈의 유명한 시인인 루이스 바스 드 카몽이스는 포르투갈 문학의 가장 위대한 인물 중 한 명이자 서구 문학 전통에서 저명한 시인으로 알려져 있습니다. 그의 서사시 '오스 루지아다스'는 포르투갈 탐험가들의 영웅적인 업적을 묘사하고 대항해 시대 포르투갈의 해양 업적을 기념하는 포르투갈 문학의 걸작으로 꼽힙니다. 손에 긴 두루마기를 들고 있기 때문에 발견 기념비에서 쉽게 찾을 수 있습니다.

엔히크 드 코임브라(Henrique de Coimbra, 프란체스코회 선교사)

엔히크 수사로도 알려진 엔히크 드 코임브라는 인도와 아프리카에서 선교 활동으로 유명한 프란체스코회 수사이자 주교였습니다. 그는 이 지역의 초기 기독교화 노력의 핵심 인물이었으며 특히 1500년 브라질에서 첫 미사를 집전하여 포르투갈 탐험과 종교적 영향력의 역사에서 중요한 순간을 기념한 것으로 기억됩니다.

곤살루 드 카르발류(Gonçalo de Carvalho, 도미니카 선교사)

곤살로 데 카르발류는 특히 포르투갈 식민지 확장의 맥락에서 종교 복음화와 기독교의 확산에 중요한 역할을 한 도미니카 선교사였습니다. 그의 선교 활동과 기독교 신앙 전파에 대한 공헌은 그가 활동한 지역의 종교적, 문화적 환경에 지속적인 영향을 남겼습니다.

페르나옹 멘데스 핀투(Fernão Mendes Pinto, 탐험가이자 작가)

페르나옹 멘데스 핀투는 포르투갈의 저명한 탐험가이자 작가로, 동방에서의 광범위한 여행과 경험을 기록한 문학 작품 'Peregrinação(순례)'으로 명성을 얻었습니다. 그의 저술은 처음에는 회의적인 반응과 면밀한 조사를 받았지만 결국 인정을 받아 중요한 문학적, 역사적 자료가 되었습니다. 그의 작품은 그가 방문한 지역의 문화적, 사회적, 정치적 풍경에 대한 귀중한 통찰력을 제공하여 초기 세계 탐험과 만남에 대한 이해에 기여했습니다.

필리파 드 랭커스터(Filipa de Lencastre, 포르투갈의 여왕, 항해왕 엔히크의 어머니)

필리파 드 랭커스터는 주앙 1세와의 결혼을 통해 포르투갈의 왕비가 되었습니다. 영국 왕실과의 동맹과 루소-영국 동맹에 대한 그녀의 기여는 당시 정치 지형에 큰 영향을 미쳤습니다. 그녀는 관대함으로 유명했으며 포르투갈 국민들로부터 성녀로 추앙받았습니다. 그녀의 결혼과 혈통은 포르투갈 군주제의 미래와 다른 유럽 열강과의 관계를 형성하는 데 결정적인 역할을 했습니다.

페드루 왕자, 코임브라 공작(Infante Pedro, Duque de Coimbra, 주앙 1세의 아들)

코임브라 공작으로도 알려진 페드루 왕자는 15세기 포르투갈 역사에서 저명한 인물이었습니다. 주앙 1세와 필리파 드 랭커스터 왕비의 둘째 아들인 그는 조카인 아폰수 5세가 통치하는 동안 섭정을 역임하며 포르투갈 통치에서 중요한 역할을 담당했습니다. 그의 섭정 기간은 아폰신 조례(Afonsine Ordinances)를 발표하는 등 탐험과 무역의 발전으로 특징지어지며 포르투갈 통치 및 상업 발전에 기여했습니다.

TRÁS-OS-MONTES-CRVZEIRO DE PORTVGAL,GRANITO E CÉV
REINTERPRETAR A IKEA III

민속 예술 박물관

포르투갈 전통의 고풍스러운 수호자인 민속 예술 박물관(Museu de Arte Popular)은 발견기념비의 웅장함과 역사적인 벨렝 탑 사이에 우아하게 자리하고 있습니다.

박물관의 이야기는 1940년 벨로주 헤이스 카멜루(Veloso Reis Camelo)와 주앙 시몽이스(João Simões)가 설계한 포르투갈 세계 박람회(Exposição do Mundo Português)의 한 전시관에서 시작됩니다. 하지만 이 건물은 더 큰 운명을 맞이하게 되는데, 바로 프란시스쿠 라그(Francisco Lage)와 이후 조르즈 세구라두(Jorge Segurado)의 지도 아래 박물관으로 거듭나고, 바라타 페유(Barata Feyo)와 엔히크 모레이라(Henrique Moreira) 같은 예술가들이 참여한 외관 장식은 지금도 확인할 수 있습니다.

1948년 여름에 개관한 민속 예술 박물관은 매우 다양하면서도 친근한 포르투갈의 컬렉션을 공개했습니다. 미뉴(Minho)의 화려한 도자기 수탉부터 트라스 오스 몽트스(Trás-os-Montes)의 정교한 바구니, 알렌테주(Alentejo)의 소박한 도자기부터 알가르브(Algarve)의 어구까지 포르투갈 각 지역의 정수를 담은 이 박물관은 세심한 정성으로 엮어낸 문화의 다양성을 선보입니다.

밀레니엄 시대에 접어들면서 이 소중한 기관이 방치되고 있는 안타까운 상황이 알려지면서 미술 평론가부터 장인까지 한 목소리로 박물관의 부활을 열렬히 지지하는 목소리가 커졌습니다. 그 결과 2016년 벽과 전시물뿐만 아니라 박물관의 영혼까지 복원되어 포르투갈 민속 예술을 기념하기 위한 박물관의 새로운 탄생을 맞이하게 되었습니다.

이제 포르투갈 민속 예술 박물관은 단순히 유물을 보관하는 곳이 아니라 포르투갈 유산의 활기찬 생명력을 보여주는 증거물로 자리 잡았습니다. 어부와 농부, 축제와 일상의 수고에 대한 이야기, 포르투갈의 정체성을 형성하는 소박하지만 풍요로운 삶의 메아리가 속삭이고 있습니다.

방문객들은 5개의 지역 갤러리를 돌아다니며 각 유물이 포르투갈 정신을 조용히 이야기하는 시간과 전통의 여행에 초대받게 됩니다. 박물관 자체가 하나의 몰입형 민담이 되어, 귀를 기울이고 깊이 몰입하며 포르투갈의 따뜻한 이야기를 엮어내는 실타래에 대한 새로운 감사를 느낄 수 있습니다.

가구 쿠티뉴와 사카두라 카브랄 기념비

자갈길 사이로 역사가 속삭이고 테주 강이 해안가를 부드럽게 휘감는 벨렝 탑 앞 정원에는 하늘을 가로질러 춤추던 꿈의 기념비인 '가구 쿠티뉴와 사카두라 카브랄 기념비(Monumento a Gago Coutinho e a Sacadura Cabral)'가 서 있습니다.

1922년 3월 30일, 정확히 말하면 봄기운이 완연한 어느 날 아침, 공기는 기대감으로 가득했습니다. 7:00 GMT, 아직 속내를 드러내지 않은 하늘 아래 포르투갈의 두 지휘관, 가구 쿠티뉴와 사카두라 카브랄은 역사의 기록에 이름을 남길 오디세이를 떠났습니다. 이들이 탄 전차는 '루지타니아(Lusitânia)'라는 이름을 가진 페어리 F III-D MkII 수상비행기로, 혁신뿐 아니라 꿈이 깃들어 있는 선박이었습니다.

조종간을 잡은 사카두라 카브랄은 단순한 조종사가 아니라 시를 읊으며 미지의 세계로 비행을 안내하는 시인이었습니다. 그 옆에는 항해사 가구 쿠티뉴가 무기가 아닌 지혜로 무장하고 있었습니다. 그는 바다 수평선이 없이도 별의 높이를 측정할 수 있는 인공 지평선 육분의를 만들어 항공 항해에 혁명을 일으키고 광활한 바다를 안내하는 도구로 활용했습니다.

이들의 여정은 '위대한 도약'으로 영원히 기억될 순간, 즉 카부베르드에서 브라질 리우데자네이루까지 62시간 26분 동안의 대담한 비행으로 마무리되었습니다. 악천후, 엔진 고장, 항해 오류, 사고 등 많은 도전과 좌절을 겪었습니다. 그들은 놀라운 용기, 인내심, 기술을 보여줬고 목표를 절대 포기하지 않았습니다. 브라질에서는 많은 명예와 찬사를 받으며 영웅으로 환영받았습니다. 포르투갈에서도 최고의 군사 훈장을 수여받고 더 높은 계급으로 승진하는 등 따뜻한 환대를 받았습니다.

오늘날 리스본의 해양 박물관에는 최초의 페어리 F III-D MkII 수상 비행기인 루지타니아가 자리 잡고 있습니다. 루지타니아는 인간의 독창성과 용기를 보여주는 세계 유일의 오리지널 항공기입니다. 벨렝 탑 앞 정원에는 기념비의 형태로 만들어져 전 세계 여행객들의 시선을 사로잡으며 두 사람이 수평선을 향해 손을 뻗어 꿈과 현실의 간극을 좁혔던 순간을 상기시키는 영감의 등대 역할을 하고 있습니다.

아주다 공동묘지에서 가구 쿠티뉴의 무덤을 확인할 수 있습니다. 그의 동료 사카두라 카브랄은 1924년 영국 해협을 비행하다 기상 악화로 실종되었으며 그의 시신은 아직까지 찾지 못했습니다.

A MEMORIA
PEREIRA
379

벨렝 탑

벨렝 탑(Torre de Belém)은 포르투갈 르네상스의 전성기인 16세기에 건설된 요새로, 포르투갈 리스본에 위치해 있습니다. 주앙 2세 국왕의 명령으로 테주 강의 하구를 방어하기 위한 시스템의 일부로 건설되었으며, 왕국의 수도를 지키는 전략적 요충지였습니다. 이 상징적인 건축물의 건설은 군사 건축가 프란시스코 데 아루다가 주도하였으며, 리스본으로 가는 의전 관문이자 발견의 시대 동안 포르투갈 탐험가들의 승선과 하선 지점으로 사용되었습니다. 수세기 동안 이 탑은 군사적 충돌과 정적의 투옥 등 다양한 역사적 사건을 목격하며 포르투갈 역사의 다면적인 역할을 반영하고 있습니다.

1983년부터 벨렝 탑은 뛰어난 보편적 가치와 문화적 중요성을 인정받아 유네스코 세계문화유산으로 등재되었습니다. 이는 벨렝 탑이 오래전 유럽 사람들이 새로운 땅을 발견할 때 중요한 역할을 했고, 포르투갈과 리스본을 상징하는 멋진 기념물이라는 의미입니다.

그리고 인류의 역사에 얼마나 큰 기여를 했고, 사람들이 멀리멀리 여행하고 서로 알게 되는 중요한 시절을 나타내주기 때문입니다.

1) 외관

건물의 구조는 직사각형의 탑과 불규칙한 육각형의 성채로 구성되어 있으며, 길쭉한 측면이 강을 향해 남쪽으로 튀어나와 있습니다. 탑의 폭은 약 12미터, 높이는 30미터이며, 성채와 성채 북쪽에 위치한 4층 탑의 두 부분으로 나뉘어져 있습니다.

탑의 바깥쪽은 복잡한 아치형 천장, 그리스도 기사단의 십자가, 천체구, 그리고 꼬인 밧줄 같은 요소들로 장식되어 있는데, 이런 것들은 마누엘 시대 양식의 특징입니다. 마누엘 시대의 천체구는 포르투갈의 항해 탐험을 상징하며, 탑 입구에 나타나 있습니다. 또한 장식적으로 조각된 꼬인 밧줄과 우아한 매듭은 포르투갈의 항해 역사를 나타냅니다.

성채의 아래쪽 벽에는 강을 볼 수 있는 창문이 있는 17개의 대포 자리가 있습니다. 성채의 윗부분은 작은 벽과 전략적인 장소에 위치한 작은 탑으로 둘러싸여 있으며, 그 위에는 그리스도 기사단의 십자가가 새겨진 둥근 방패로 장식되어 있는 플랫폼이 있습니다. 이 작은 탑들은 모서리에 위치한 원통형 감시탑으로, 동물 모양 장식이 달린 돌출부와 유럽 건축에서는 보기 드문 능선이 있는 돔으로 덮여 있으며, 화려한 장식의 꼭대기가 있습니다.

벨렝 탑의 외관은 포르투갈의 해양 유산과 대항해 시대에서의 역할을 반영하는 건축적, 역사적 중요성을 증명하는 증거입니다.

포르투갈의 풍부한 문화 및 역사적 유산을 보여주는 인상적인 사례로, 전 세계 방문객에게 인기 있는 명소로 자리 잡고 있습니다.

2) 탑의 내부

상징적인 벨렘 탑 내부로 들어서면 탑의 다면적인 역사와 건축적 웅장함을 엿볼 수 있는 매력적인 내부 공간이 맞이합니다.

먼저 아래층으로 내려가면 감금과 투옥의 장소로서의 역사적 역할을 엿볼 수 있는 반지하 감옥이 있습니다. 보조 창고로 설계되었지만 훗날 정적들을 가두는 감옥으로 사용되어 벨렘 탑에 얽혀있는 역사와 갈등, 정치적 혼란의 시기에 직면했던 도전을 상기시켜주는 가슴 아픈 증거입니다. 밀물 때가 되면 감옥 안으로 물이 밀려들어왔기 때문에 이곳의 수감자들이 느꼈을 공포는 감히 짐작조차 할 수 없습니다.

벨렘 탑의 1층에는 아치형 지하실로 통하는 팔각형 공간인 총독실(Sala do Governador)이 있으며, 이는 탑의 방어 인프라와 전략적 중요성을 보여주는 증거입니다. 위엄 있는 분위기와 역사적인 분위기를 느낄 수 있는 총독실은 방문객들을 탑의 군사적 유산과 리스본 수도를 지키는 데 중요한 역할을 한 전략적 역할에 빠져들게 합니다. 이 방은 탑의 방어 능력과 건축 양식을 엿볼 수 있는 공간으로, 포르투갈 해양 유산의 매력적인 이야기를 제공합니다.

2층에는 접견실로 알려진 국왕실(Sala dos Reis)이 있는데, 이곳은 왕족의 화려함과 역사적 중요성을 느낄 수 있는 공간입니다. 정교한 디테일과 역사적 유물로 장식된 이 팔각형 방은 의식용 관문이자 발견의 시대 동안 포르투갈 탐험가들이 승선하는 지점으로서의 다면적인 역할을 보여주는 증거입니다. 이 방의 역사적인 분위기와 건축적 웅장함은 방문객들을 시간을 거슬러 올라가 포르투갈 해양 유산의 매력적인 이야기와 전례 없는 세계적 참여의 시대를 정의한 탐험 정신에 빠져들게 합니다. 구석에는 작은 벽난로가 있습니다.

3층에는 왕족의 화려함과 역사적 중요성을 느낄 수 있는 접견실(Sala de Audiências)도 있습니다. 위엄 있는 분위기와 정교한 디테일을 자랑하는 이 홀은 의식용 관문이자 발견의 시대 동안 포르투갈 탐험가들이 승선하는 지점으로서의 다양한 역할을 보여주는 증거입니다. 접견실의 역사적인 분위기와 건축적 웅장함은 방문객들을 시간을 거슬러 올라가 포르투갈 해양 유산의 매력적인 이야기와 전례 없는 세계적 참여의 시대를 정의한 탐험 정신에 빠져들게 합니다.

4층으로 올라가면 영적인 의미와 건축적 아름다움을 느낄 수 있는 예배당(Capela)이 있습니다. 아치형 리브 천장과 상징적인 마누엘 양식으로 이루어진 예배당은 탑 내부에 고요한 성역을 제공하며, 방문객들이 이 상징적인 건축물의 역사적, 문화적 의미를 되새길 수 있게 해줍니다. 예배당의 정교한 디자인과 역사적 유물은 탑의 지속적인 유산과 포르투갈 해양 유산의 상징으로서의 역할을 엿볼 수 있는 매력적인 기회를 제공합니다.

3) 꼭대기에서의 전망

가파르고 좁고 구불구불한 계단을 올라 벨렝 탑 꼭대기에 도착하면 테주 강과 주변의 16세기 강변 풍경이 한눈에 들어오는 멋진 파노라마 전망을 감상할 수 있습니다.

벨렝 탑 꼭대기에서 밖을 바라보면 포르투갈의 발견의 시대를 배경으로 한 16세기 강변 풍경으로 시간을 거슬러 올라갈 수 있습니다. 웅장한 탑이 감싸고 있는 16세기 강변 풍경은 방문객들에게 분주한 해상 무역 활동, 포르투갈 탐험가들의 출항, 테주 강변에서 펼쳐진 역사적 사건들의 다채로운 모습을 상상할 수 있게 해줍니다. 이를 통해 강변 풍경의 역사적 맥락과 문화적 의미를 감상할 수 있는 매력적인 기회를 제공하며, 대항해시대 포르투갈이 차지했던 비중과 그 활약상에 대한 설득력 있는 이야기를 전달합니다.

샴팔리무드 전망대

리스본의 영혼이 테주 강의 고요한 물과 합쳐지는 듯한 샴팔리무드 전망대(Miradouro da Fundação Champalimaud)는 단순히 지도상의 한 지점이 아니라 고요한 자연의 아름다움과 건축가의 대담한 꿈이 만나는 캔버스입니다.

이 장소의 핵심은 광활한 테주 강을 가로질러 펼쳐지는 숨막히는 파노라마로, 강물의 고요한 흐름과 조화를 이루며 오감이 춤을 추도록 초대합니다. 테주 강의 고요함에 둘러싸여 그곳에 서 있으면 대지와 그 끝없는 경이로움에 대한 깊은 유대감을 느낄 수밖에 없습니다. 이 전망대를 품고 있는 놀라운 건축물인 샴팔리무드 미지의 센터(Centro de Investigação para o Desconhecido)는 선각자 찰스 코헤아(Charles Correa)가 설계하였습니다. 모더니즘적인 윤곽이 풍경과 부드럽게 어우러져 눈과 마음을 사로잡는 놀라운 경험을 만들어냅니다.

이 건물의 옆에는 다윈스 카페(Darwin's Café)가 자리하고 있어 보는 즐거움과 더불어 먹는 즐거움도 만끽할 수 있습니다. 이곳에서 테주 강의 숨막히는 풍경과 어우러진 리스본의 풍미를 진정으로 맛볼 수 있습니다. 카페의 앞마당은 바쁜 일상 속에서 위안과 영감을 찾는 사람들을 위한 안식처이자, 시간이 멈춰 있는 것 같은 순간의 아름다움이 느껴지는 곳입니다.

이 아름다움과 사색의 공간으로 향하는 여정 자체가 이곳의 매력 중 하나입니다. 벨렝 지구에 자리한 샴팔리무드 전망대는 접근성이 뛰어나면서도 번잡한 일상과는 동떨어져 있는 듯한 느낌을 줍니다. 리스본의 유서 깊은 랜드마크인 벨렝탑과 가까운 거리에 있는 이곳은 장엄한 건축물의 아름다움과 시대를 초월한 자연의 우아함이 조화를 이루는 경험을 제공합니다.

상 제로니무 예배당

포르투갈의 풍부한 유산 속에 숨겨진 보석 같은 상 제로니무 예배당(Capela de São Jerónimo)은 신앙과 건축, 시간의 흐름에 대한 이야기를 들려주며, 조용한 교향곡으로 엮어져 위안을 찾는 이들의 마음을 울립니다.

1514년 성 제롬 수도회에서 소유한 부지에 위치한 이 예배당은 포르투갈이 미지의 세계를 항해하며 미지의 영토를 개척하던 시기의 증거물로 서 있습니다. 역사적으로는 1497년 바스코 다 가마와 그의 부하들이 인도항로 개척을 위해 출항하기 전 같은 위치에 있었던 낡은 예배당에서 기도하며 밤을 지샌 것으로 알려져 있습니다.

이 고요한 거처를 설계한 이는 다름 아닌 제로니무스 수도원의 첫 번째 건축가인 보이타카(Diogo de Boitaca)로 추정되며, 최종적인 완성은 호드리구 아폰수(Rodrigo Afonso)가 했다고 알려져 있습니다.

가까이 다가가면 예배당은 겸손하면서도 장엄한 모습을 드러내며, 정사각형 평면에 우아하게 꼬인 4개의 첨탑으로만 장식된 견고한 줄로 장식되어 있습니다. 각 구석에는 마치 제로니무스 수도원의 회랑을 지키는 석상을 연상시키는 가고일이 세심하게 장식되어 있는데, 마치 고대의 이야기를 속삭이듯 귀 기울이는 사람들에게 감히 말을 건네는 듯합니다. 평온으로 통하는 문인 정문은 마누엘 양식의 복잡한 상징으로 장식되어 있어 시간이 멈춘 듯한 세계로 여러분을 초대합니다.

예배당 내부는 신성한 평온의 분위기를 자아냅니다. 식물 장식으로 장식된 문은 경건한 분위기를 자아내며 방문객을 평화로운 명상에 잠기게 합니다. 수세기에 걸쳐 시간과 보살핌의 손길이 닿은 이 예배당은 복원 공사를 통해 구조에 새로운 생명을 불어넣어 그 아름다움과 신성함이 지속되도록 했습니다.

오늘날 상 제로니무 예배당은 단순한 기념물이 아니라 세례와 결혼식을 위한 소중한 장소이자 기쁨과 축하의 등대이며 웃음과 사랑의 서약이 울려 퍼지는 곳입니다.

HOSPITAL DA LUZ
HOSPITAL DA LUZ
HOSPITAL DA LUZ
HORIZONTE
HORIZONTE
HORIZONTE
HORIZONTE

헤스텔루 축구경기장

과거의 웅장함이 현재의 꿈과 어깨를 나란히 하는 리스본 벨렝의 중심부에는 돌과 벽돌이 아닌 추억과 열망의 기념비, 헤스텔루 축구경기장(Estádio do Restelo)이 있습니다. 이곳은 평범한 경기장이 아니라 포르투갈 축구의 심장 박동으로 고동치는 신성한 그라운드이며, 벨렝 지역을 연고지로 하는 벨레넨시스 축구클럽(Clube de Futebol Os Belenenses)이 승리의 춤을 추고 패배의 무거운 침묵을 느꼈던 홈구장입니다.

헤스텔루 축구경기장은 1956년 가을 과거 채석장의 흙더미 속에서 테주 강을 배경으로 그 모습을 드러냈습니다. 이곳은 단순한 경기장이 아니라 벨렝 축구인들의 야망을 보여주는 선언이자 증거였습니다. 그 안에는 모든 골, 모든 환호, 모든 눈물이 리스본의 영혼에 새겨져 있으며, 축구라는 불멸의 매력에 대한 살아있는 연대기입니다.

하지만 공기를 가득 채우는 메아리는 단지 잔디 위를 뛰어다니는 축구화에서만 만들어지는 것은 아닙니다. 헤스텔루 축구경기장은 음악과 축제를 위한 활기찬 캔버스였으며, 밤하늘로 멜로디가 높이 솟아오른 곳이기도 합니다. 락밴드 더 폴리스(The Police)가 이곳에서 포르투갈에 세레나데를 선사하며 수천 명의 관중을 불러 모으는 콘서트의 선례를 세웠습니다. 또한 이 경기장은 2014년 유럽 여자 축구의 정점인 UEFA 여자 챔피언스 리그 결승전을 개최하는 등 다양한 역사를 품고 있습니다.

헤스텔루 축구경기장은 단순한 상징이 아니라 리스본 축구 역사의 수호자이며, 오랜 전통과 현재의 열정이 만나는 등대 역할을 하고 있습니다. 이곳의 문을 열고 들어서면 포르투갈 축구의 정수가 담긴 경험, 즉 풍부한 역사와 감정이 살아 숨 쉬는 유산에 동참할 수 있는 초대가 기다리고 있습니다.

주제 마노엘 수아레스

'페페'라는 애칭으로 알려진 주제 마노엘 수아레스(José Manoel Soares)는 1908년 1월 30일 포르투갈 리스본에서 태어났습니다. 페페는 어릴 때부터 축구에 대한 남다른 열정과 재능을 보였습니다. 페페는 공을 발 앞에 두고 춤을 췄으며 골을 넣을 때마다 기운이 솟구치는 타고난 축구선수였습니다. 경기장에서의 그의 실력은 곧 지역 클럽의 주목을 받았지만, 그가 커리어를 쌓기로 결정한 클럽은 그의 고향이자 마음의 고향인 벨레넨시스 축구클럽이었습니다.

페페는 팀을 연이어 승리로 이끌며 팬들의 마음을 사로잡는 등

뛰어난 능력을 입증했습니다. 두 번의 포르투갈 챔피언십과 세 번의 리스본 챔피언십 우승으로 페페의 이름은 승리의 대명사가 되었고, 한 시즌 14경기 36골이라는 그의 기록은 시대를 초월해 울려 퍼졌습니다.

하지만 페페의 스타성은 국내에서만 빛난 것이 아니었습니다. 국가대표팀 유니폼을 입고 국제 무대에 진출한 페페는 프랑스와의 데뷔전에서 2골을 넣으며 4-0으로 대승을 거두는데 큰 공을 세웠습니다. 1928년 올림픽은 그의 재능을 증명했고, 경기장에서의 그의 존재는 포르투갈의 희망과 자부심의 등불이 되었습니다.

하지만 빛이 너무 밝게 타오르는 사람들이 종종 그렇듯이 페페의 불꽃은 너무 일찍 꺼지고 말았습니다. 1931년 10월 23일, 그는 투잡으로 해군 무기고에서 기계 수리공으로 일하던 중 극심한 복통을 경험했습니다. 이 통증으로 인해 다음 날인 1931년 10월 24일, 23세의 젊은 나이로 사망했습니다. 사망 원인에 대해 50년 넘게 미스터리로 남아있다가 1988년 사고성 중독으로 사망한 것으로 밝혀져 안타까움을 샀습니다. 그의 어머니가 사랑을 담아 식사 준비를 하던 중 소금 대신 가성소다를 잘못 뿌려 치명적인 결과를 초래했다는 비극적인 실수에 대한 이야기였습니다.

그가 세상을 떠난 후, 그의 영혼이 영원히 자유롭게 돌아다닐 수 있는 성역인 살레시아스(Salésias) 스타디움에 그를 기리는 기념비가 세워지는 등 추모의 물결이 쏟아졌습니다. 이 기념비는 새로 건립된 헤스텔루 축구경기장에도 그대로 옮겨졌습니다. FC 포르투는 페페와 직접적인 연고가 없는 팀임에도 불구하고 매년 FC 벨레넨시스와의 경기 전에 그의 기념관에 화환을 놓아 그를 기리고 있습니다.

포르투갈 축구 역사의 연대기에서 그의 이름은 단순한 선수가 아니라 시대를 초월한 전설로 새겨져 있습니다. 그를 통해 우리는 인생의 아름다움과 비극, 매 순간이 영원의 광활함 속에서 소중히 간직해야 할 소중한 보석임을 상기하게 됩니다.

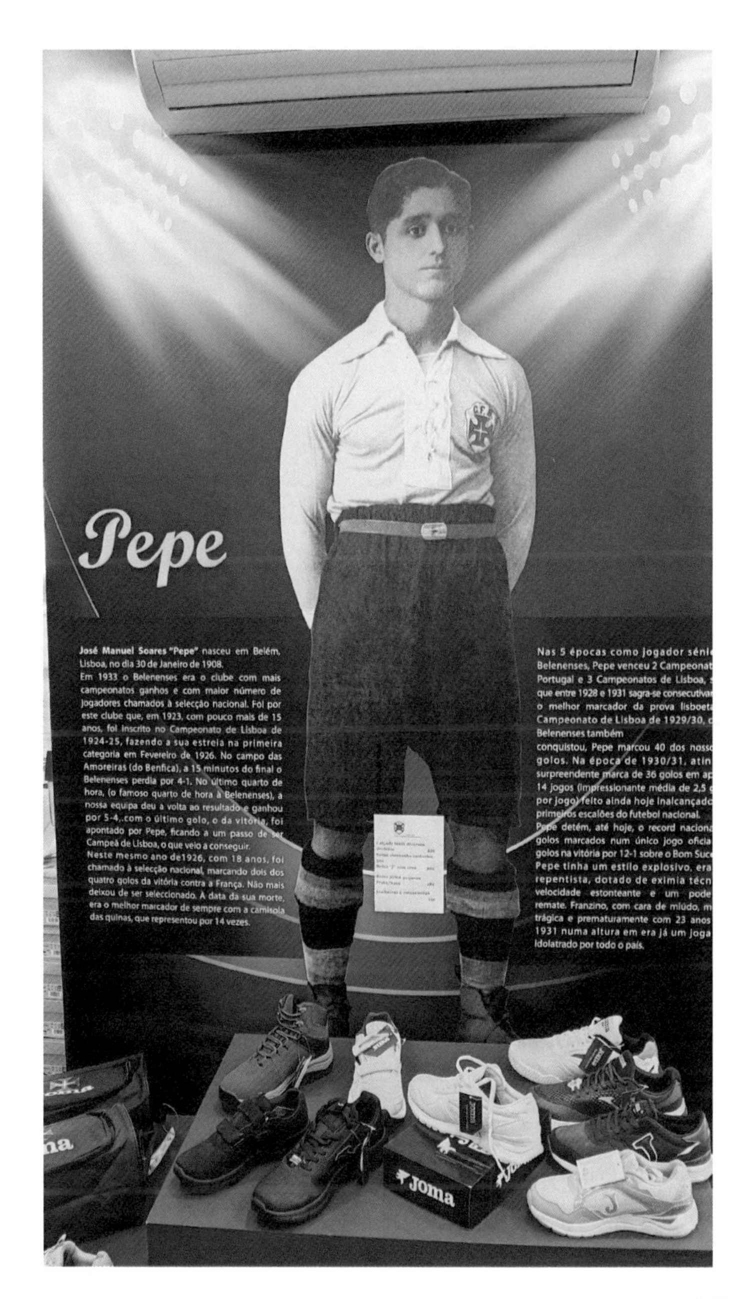
Pepe
José Manuel Soares "Pepe" nasceu em Belém, Lisboa, no dia 30 de Janeiro de 1908.
Em 1933 o Belenenses era o clube com mais campeonatos ganhos e com maior número de jogadores chamados à selecção nacional. Foi por este clube que, em 1923, com pouco mais de 15 anos, foi inscrito no Campeonato de Lisboa de 1924-25, fazendo a sua estreia na primeira categoria em Fevereiro de 1926. No campo das Amoreiras (do Benfica), a 15 minutos do final o Belenenses perdia por 4-1. No último quarto de hora, (o famoso quarto de hora à Belenenses), a nossa equipa deu a volta ao resultado e ganhou por 5-4,.com o último golo, o da vitória, foi apontado por Pepe, ficando a um passo de ser Campeã de Lisboa, o que veio a conseguir.
Neste mesmo ano de1926, com 18 anos, foi chamado à selecção nacional, marcando dois dos quatro golos da vitória contra a França. Não mais deixou de ser seleccionado. À data da sua morte, era o melhor marcador de sempre com a camisola das quinas, que representou por 14 vezes.
Nas 5 épocas como jogador
Belenenses, Pepe venceu 2
Portugal e 3 Campeonatos de Lisboa,
que entre 1928 e 1931
o melhor marcador da prova
Campeonato de Lisboa de 1929/30,
Belenenses também
conquistou, Pepe marcou 40 dos
golos. Na época de 1930/31,
surpreendente marca de 36 golos em
14 jogos (impressionante média de 2,5
por jogo) feito ainda hoje
primeiros escalões do futebol nacional.
Pepe detém, até hoje, o record
golos marcados num único jogo
golos na vitória por 12-1 sobre o Bom
Pepe tinha um estilo explosivo,
repentista, dotado de exímia
velocidade estonteante e um
remate. Franzino, com cara de miúdo,
trágica e prematuramente com 23 anos
1931 numa altura em era já um
idolatrado por todo o país.
Joma

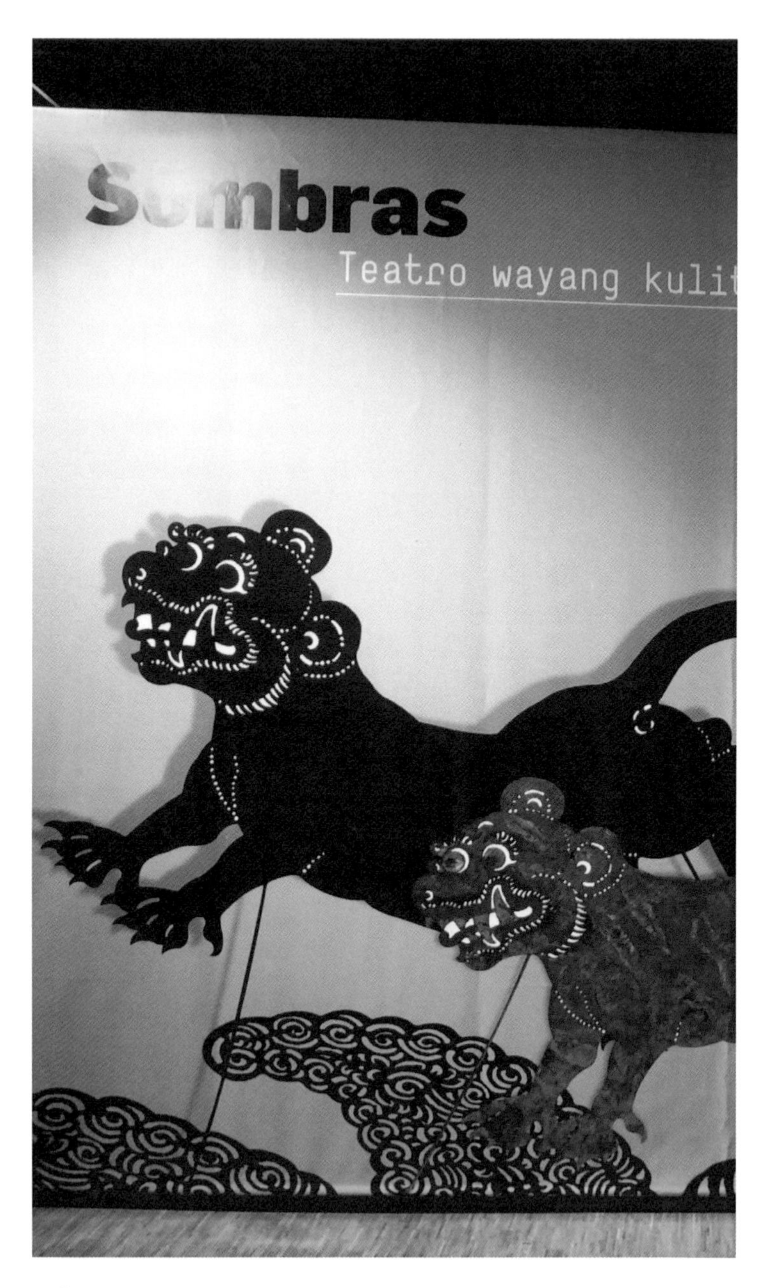
Sombras
Teatro wayang kulit

국립 민족학 박물관

포르투갈의 풍부한 문화 유물과 세계 각국의 보물을 품고 있는 국립 민족학 박물관(Museu Nacional de Etnologia)은 인류의 전통을 향한 여행으로 초대합니다.

이 성스러운 공간에서 민족지학적 유물로 장식된 홀을 거닐며 수천 년 동안 다양한 공동체가 만들어온 복잡한 삶의 모습들을 엿볼 수 있습니다. 이 박물관은 정체성을 말해 주는 전통 복식, 세속과 신성을 이어주는 의식용 물건, 조상들의 선율을 담은 악기, 창조의 영혼을 담은 예술품을 보호하는 이야기의 수호자 역할을 하고 있습니다. 이 유물들은 인류가 존재를 엮어온 무수한 방식을 엿볼 수 있는 포털 역할을 합니다.

박물관은 단순한 유물 보관소가 아니라 과거가 현재에 생명을 불어넣는 활기찬 교실입니다. 국립 민족학 박물관은 교육적인 전시를 통해 다양한 문화 집단을 정의하는 의식, 관습, 일상 리듬을 조명합니다. 방문객들은 인터랙티브 전시와 사려 깊은 프레젠테이션을 통해 시간을 초월한 학습 경험에 빠져들며 인류 문화의 풍부한 구조에 대한 깊은 이해와 감사를 느낄 수 있습니다.

국립 민족학 박물관의 핵심은 무형유산의 관리자입니다. 이 박물관은 문화의 물리적 구체화뿐만 아니라 여러 세대에 걸쳐 지혜를 전달하는 구전 전통, 공동체의 정신을 담은 공연 예술, 영혼과 물질의 대화를 표현하는 장인 정신을 소중히 여깁니다. 박물관은 이러한 무형의 보물을 보존함으로써 문화의 심장 박동을 유지하고 미래 세대를 위한 접근성을 보장합니다. 국립 민족학 박물관은 인류 사회의 상호 연결성을 조명하는 문화 관리의 등대 역할을 하고 있습니다.

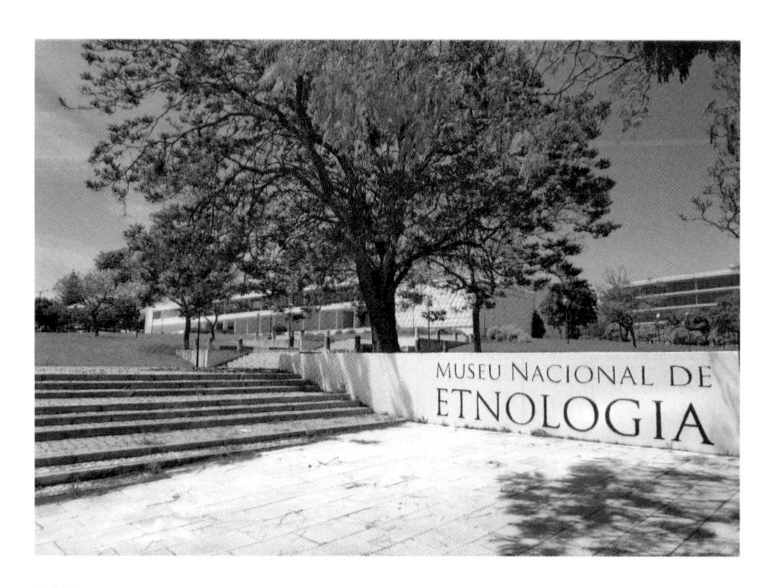

기억의 성당

기억의 성당(Igreja da Memória), 또는 공식 명칭으로 성 요셉 및 구원의 성모 성당(Igreja de Nossa Senhora do Livramento e de São José)이라 불리는 이곳은 오랜 세월을 견뎌온 문화 및 건축 유산의 등대로서 왕실의 이야기와 과거 시대의 장인 정신을 반영하고 있습니다.

교회의 주춧돌에는 포르투갈 역사의 흐름을 바꿀 수도 있었던 한 사건에서 비롯된 감사와 생존의 이야기가 속삭이고 있습니다. 군주의 마차가 이곳을 지나가던 중 누군가로부터 기습을 당했고 다행히 주제 1세는 목숨을 건졌지만 그의 팔에 총상을 남겼습니다. 주제 1세의 암살 시도는 그의 육신뿐 아니라 포르투갈의 영혼에도 그 흔적을 남겼고, 이 교회가 탄생하게 된 계기가 되었습니다. 암살 기도로부터 살아남은 것에 대한 개인적인 감사의 서약뿐만 아니라 왕국 내에서 극적인 숙청의 촉매제가 되어 배후로 지목된 타보라 가문의 비극적인 몰락으로 이어졌습니다. 따라서 이 교회는 단순히 벽돌과 박석으로 지어진 건축물이 아니라 생존과 감사, 그리고 어쩌면 보복의 기념비로 서 있습니다.

이 웅장한 건물을 설계한 천재 건축가는 다름 아닌 바로 시대를 초월한 기교로 바로크 시대의 비전을 실현한 이탈리아 건축가 조반니 카를로 갈리 다 비비에나(Giovanni Carlo Galli da Bibbiena)입니다. 성당 본당, 가로복도, 성가대석이 모두 마치 폼발 후작의 지휘에 맞춰 조화를 이루며 노래하는 듯한 이 성당은 돌로 만든 교향곡과도 같습니다. 종탑은 단순한 물리적 구조물이 아니라 도시를 지켜주는 희망의 등대이자 신성한 감시의 등대로 우뚝 솟아 있습니다. 교회 내부는 마치 이야기처럼 펼쳐지는데, 두 줄로 서 있는 기둥들이 이야기를 들려주듯이 우리를 안내하고 반달 모양의 천장은 마치 이야기에 중요한 부분을 강조해주는 밑줄 같습니다. 교회 밖의 모습은 삼각형 모양의 장식이 왕관처럼 있어서, 교회가 매우 위엄 있고 장엄해 보입니다. 이 기억의 성당 앞에 서는 것은 과거와 현재가 왕실의 음모와 건축의 경이로움으로 가득한 이야기로 합쳐지는 시간의 교차로에 서는 것과 같습니다.

한편 주제 1세로부터 전권을 위임받아 대지진으로 폐허가 된 리스본을 재건하는 데 큰 공을 세운 폼발 후작의 유해가 1923년 이곳으로 옮겨졌습니다. 그리고 현재 포르투갈 군대 교구의 본부로 사용되고 있습니다.

아주다 보타닉 공원

포르투갈에서 가장 오래된 식물 안식처인 아주다 보타닉 공원(Jardim Botânico da Ajuda)는 시간이 멈춰 있는 곳으로, 세심하게 다듬어진 길을 거닐며 자연이 주는 풍요로움에 빠져들게 하는 곳입니다.

1768년 이탈리아 식물학자 도밍구스 반델리(Domingos Vandelli)의 선구적인 손길로 조성된 이 정원은 아프리카, 아시아, 아메리카 등 먼 땅에서 온 풍부한 식물을 전시하는 천상의 갤러리라는 콘셉트로 꾸며졌어요. 식물 하나하나, 잎사귀 하나하나가 바다를 건너고 시간의 손길이 닿지 않은 땅을 여행한 이야기를 들려줍니다. 이 살아있는 유물 중에는 마데이라에서 온 400년 된 용나무가 있는데, 그 가지가 마치 시간이 멈춘 고대 뱀처럼 하늘을 향해 뻗어 있습니다.

화려한 이탈리아 스타일로 디자인된 정원 자체는 화려한 건축적 특징으로 감각을 사로잡습니다. 뱀, 날개 달린 물고기, 해마, 신화 속 생물로 장식된 18세기 분수는 바람의 리듬에 맞춰 춤을 추는 물의 교향곡을 연주합니다. 정원은 두 층으로 이루어져 있으며, 아래층에서는 웅장한 테라스가 펼쳐져 있어 자연만이 줄 수 있는 영원한 매력에 둘러싸여 사색에 잠기거나 여유로운 산책을 즐길 수 있습니다.

이 에덴동산 안으로 더 들어가면 거의 5천 평에 달하는 온실이 펼쳐지는데, 이국적인 종들이 태양의 세심한 보호 아래 번성하는 성역 속의 성역입니다. 이곳에서는 화려한 분수와 구불구불한 공작새가 매혹적인 분위기를 더하며, 그 화려함은 정원의 오랜 유산을 증명하는 증거입니다.

칼사다 다 아주다(Calçada da Ajuda)에 위치한 이 초록빛 오아시스는 쉽게 갈 수 있지만 번잡한 도시 생활에서 멀리 떨어져 있는 안식처입니다. 아주다 보타닉 공원은 단순한 정원이 아니라 다른 시대로 통하는 문이며, 자연의 아름다움이 보존되고 찬란한 다양성을 기념하는 곳입니다. 식물의 다양성과 건축적 우아함의 등대 역할을 하며, 이곳에 들어서는 모든 사람들이 그 아름다움에 빠져들고 고대의 품 안에서 평화를 찾도록 초대합니다.

아주다 궁전

아주다 궁전(Palácio Nacional da Ajuda)은 포르투갈의 풍부한 왕실 유산을 보여주는 등대처럼 웅장하게 서 있으며, 전 세계 여행객을 궁전 안으로 초대하여 시간 여행을 떠날 수 있게 해줍니다.

이 궁전의 이야기는 리스본을 지도상에서 지우려 했던 1755년 리스본 대지진의 잿더미에서 시작됩니다. 대지진으로 폐허가 되어

버린 히베이라 궁전을 대신하기 위해 아주다 언덕에 나무로 왕실용 임시거주지를 만들었고 헤알 바하카(Real Barraca, 왕실 텐트) 또는 포수 드 마데이라(Paço de Madeira, 나무로 만든 궁전)라고 불렀습니다. 대지진으로 공황장애 증상을 보였던 주제 1세가 벽이 있는 건물에 머무는 것을 극도로 무서워했기 때문에 나무 기둥에 천막을 치고 죽을 때까지 살았다고 합니다. 그렇게 30년 넘게 왕실 거주지로 사용되다 이마저도 마리아 1세 때인 1794년 화재로 소실되고 말았습니다.

왕실은 켈루스 궁전으로 거주지를 옮겼고 아픈 어머니 마리아 1세를 대신해서 섭정을 맡았던 주앙 왕세자(훗날 주앙 6세)가 아주다 궁전 건립을 명령하게 됩니다. 프란시스코쿠 샤비에르 파브리(Francisco Xavier Fabri)와 주제 다 코스타 이 실바(José da Costa e Silva)가 디자인한 아주다 궁전은 1795년에 공사가 시작되어 여러 번의 중단을 거치며 미완성이지만 신고전주의 디자인의 걸작으로 탄생했습니다.

1861년부터는 루이스 1세의 통치 기간 동안 왕실 거주지로 사용되었습니다. 포르투갈 역대 왕비들 중에 가장 사치스러웠다는 평가를 받는 마리아 피아(루이스 1세의 왕비)와 루이스 1세의 거대 초상화 및 그들의 후손들의 사진들이 아주다 궁전 곳곳에 배치 되어 있습니다.

궁전 내부 인테리어는 포르투갈 군주들의 호화로운 라이프스타일을 보여줍니다. 각 방과 복도마다 18~19세기의 정교한 그림과 고급스러운 가구, 정교한 태피스트리로 장식된 이 궁전은 역사의 붓질로 그대로 남아 있습니다.

루이스 1세의 아들 카를로스 왕세자(훗날 카를로스 1세)와 왕세자비 아멜리아가 벨렝 궁전을 신혼집으로 살다가 그 후 왕위에 오른 뒤에도 벨렝 궁전에서 살게 됩니다. 아주다 궁전은 어머니 마리아 피아 왕비가 계속 살게 됩니다.

그러다 1908년 2월 1일, 카를로스 1세와 왕세자 루이스 필리프가 코메르시우 광장에서 살해되는 비극적인 사건이 일어나고, 둘째 아들 마누엘 2세가 왕위에 올라서 네세시다드스 궁전을 거주지로 사용하였습니다. 하지만 1910년 10월 공화혁명이 일어나면서 왕실 전체가 포르투갈을 떠나게 되면서 아주다 궁전에 살던 할머니 마리아 피아도 함께 이동하게 되었고 그때를 기점으로 아주다 궁전은 폐쇄되고 1938년에야 박물관으로 다시 문을 열게 됩니다.

시간이 흐르면서 아주다 궁전은 왕실 거주지에서 역사의 수호자로 변모했고, 지금은 포르투갈 왕정의 영혼을 엿볼 수 있는 박물관으로 활용되고 있습니다. 이곳의 보물 중에는 가구, 보석, 은제품 컬렉션이 있으며, 각각의 작품은 왕실 생활에 얽힌 이야기를 담고 있습니다.

대리석과 장엄함을 뒤로하고 웅장한 홀을 나서면 포르투갈 왕족의 유구한 유산에 대한 경외감이 남습니다. 아주다 궁전은 단순한 관광지가 아니라 과거와 현재가 조화를 이루는 경험의 장이며, 이곳에 들어서는 모든 사람이 그 아름다움을 만끽하고 벽에 새겨진 이야기를 생각하도록 초대하는 곳입니다. 리스본의 문화와 역사에 빠져들고 싶어 리스본을 찾는 모든 이들에게 이 궁전은 풍요로운 방문뿐만 아니라 포르투갈의 영혼 그 자체로의 여행을 약속합니다.

아주다 궁전의 일부는 왕실보석박물관(Museu do Tesouro Real)으로 쓰이고 있습니다. 주앙 6세의 초상화 밑에 있는 왕관 및 화려한 망토부터 마리아 피아의 화려한 보석들까지 왕실의 보석들을 한눈에 볼 수 있는 박물관입니다. 특히 1862년 비토리오 에마누엘레 2세가 그의 딸 마리아 피아에게 결혼선물로 준 브로치와 비토리오 에마누엘레 3세가 이모 마리아 피아에게 준 시계, 33개의 보석이 들어 있었던 마리아 피아의 보석함 등이 아름답습니다.

포르투갈의 주앙 4세가 1640년 포르투갈이 스페인으로부터 독립을 되찾은 것에 대한 감사의 뜻으로 1646년 3월 25일, 왕은 빌라 비소사 성당에 있는 성모 마리아상 위에 자신의 왕관을 씌우고 포르투갈의 수호자이자 여왕으로 선포했습니다. 그 이후로 포르투갈의 왕이나 왕비는 존경과 헌신의 표시로 머리에 왕관을 쓰지 않고 옆구리에만 착용했습니다. 예외적으로 마리아 피아 왕비의 경우 왕관을 쓴 모습이 초상화나 조각으로 남아있습니다.

이에 대해 학자들의 의견이 분분합니다. 어떤 학자들은 포르투갈의 왕비가 되기 전 이탈리아를 통일한 비토리오 에마누엘레 2세의 딸인 공주의 신분으로 썼다고 하는데, 심지어 마리아 피아가 사치스러워서 머리에 왕관을 썼다는 주장도 나올 정도입니다. 마리아 피아의 사치로 인한 왕실에 대한 실망감이 아들인 카를로스 1세가 총에 맞아 사망하고, 결국 손자인 마누엘 2세 때 포르투갈 왕정이 끝나게 만들었다는 주장도 있지만 사실 포르투갈 왕비로서 가난한 이들의 후원자로 자비의 천사(O Anjo da Caridade), 빈곤한 자들의 어머니(A Mãe dos Pobres)라는 별명을 가지고 있었습니다.

아주다 궁전의 내부 공간 소개

궁수의 방(Sala dos Archeiros)

아주다 궁전의 내부 관람의 시작은 매표소를 겸하고 있는 궁수의 방에서 시작됩니다. 한때 국빈 방문을 위한 웅장한 응접실로 사용되었습니다. 이 역사적인 방은 귀족과 방문객을 맞이하는 근위병인 궁수들이 예복을 입고 영접하던 네 개의 홀 중 첫 번째 홀입니다. 벽은 19세기 초에 그려진 우화적인 그림으로 장식되어 있고, 천장에는 포르투갈 왕실의 문장이 장식되어 있어 1819년 이전의 풍부한 유산과 전통을 강조하고 있습니다.

왕실 안내인의 방(Sala do Reposteiro)

이 방은 궁전의 일상 업무에서 중요한 역할을 담당했습니다. 방문객의 흐름을 통제하는 일을 맡은 왕실 안내인이 이곳에서 방문객의 도착과 출발, 방문 목적, 가져온 물품 등을 꼼꼼하게 기록했습니다. 주앙 왕자(훗날 주앙 6세)와 카를로타 주아키나 공주(훗날 주앙 6세의 왕비)의 작은 그림 사이에 걸려 있는 '무지를 물리치는 정의와 신의 은총(A Justiça Rigorosa e a Graça Divina repelem a Ignorância)'을 묘사한 걸작은 방에 상징적인 의미를 더합니다. 1814년경 주제 다 쿠냐 타보르다(José da Cunha Taborda)가 그린 것으로 추정되는 이 방은 아주다 궁전의 중심부에 예술, 의무, 왕실의 감독이 교차하는 모습을 구현하고 있습니다.

큰 대기실(Sala Grande de Espera)

이곳은 1862년까지 접견실로 사용되다가 루이스 1세와 마리아 피아 왕비의 통치 기간 동안 대기실로 탈바꿈했습니다. 1814년 예술가 시릴루 윌크마르 마샤두(Cirilo Wolkmar Machado)와 마누엘 피올티(Manuel Piolti)가 만든 걸작인 '주앙 6세의 왕국 귀환 우화(Alegoria do regresso de D. João VI ao Reino)'가 정교하게 그려진 프레스코화가 걸려 있습니다.

사냥개의 방(Salinha dos Cães)

나폴레옹 3세의 반려견 Ravageot와 Ravageode를 모델로 한 두 마리 사냥개들의 조각이 있어 사냥개의 방이라고 부릅니다. 페르난두 2세가 구입했거나 선물로 받은 것으로 추정하고 있습니다. 역사적으로 장관과 국무 참모들이 긴급한 국가 문제에 대해 국왕과 상의하기 위해 소환을 기다리며 시간을 보내는 매혹적인 집무실입니다. 천장에는 안드레 몬테이루 다 크루스(André Monteiro da Cruz)가 제작한 '사냥꾼 다이애나(Diana caçadora)'라는 놀라운 예술 작품이 있어서 문화적, 예술적 가치를 더 해 줍니다.

파견실(Sala do Despacho)

파견실은 포르투갈 왕족이 중요한 공식 업무를 수행했던 역사적인 공간입니다. 의례적으로 매우 중요한 이 홀은 루이스 1세 왕이 국정을 관리하는 데 전념했던 곳으로, 매주 목요일마다 청중을 맞이했습니다. 또한 마리아 피아 여왕이 크리스마스 축하 행사를 주최하여 카를로스 왕자와 아폰수 왕자와 저명한 손님들을 모시고 축제를 열었던 곳이기도 합니다.

세브르의 꽃병 작은방(Salinha do Vaso de Sèvres)

이 방은 공적인 업무와 사생활의 영역을 구분하는 우아한 문턱 역할을 합니다. 미묘하지만 중요한 의미를 지닌 이 방은 궁전 건축에서 중요한 구심점 역할을 하며 방문객을 국빈실의 웅장함에서 왕실 생활 공간의 친밀함으로 안내합니다. 기능성과 미적 매력을 모두 강조하는 왕실 공간의 세심한 계획의 증거입니다.

음악실(Sala de Música)

음악실은 루이스 1세와 마리아 피아 왕비가 친구 및 가족들과 음악에 대한 사랑을 나눈 역사와 문화가 깃든 공간입니다. 이곳에서 국왕이 직접 작곡한 첼로 선율과 왕비가 연주한 피아노 선율이 울려 퍼지며 친밀한 음악의 밤을 보냈다고 합니다.

루이스 1세의 방(Quarto de D. Luís I)

루이스 1세의 방을 통해 19세기 왕실 생활을 엿볼 수 있습니다. 대기실, 욕실, 서재, 침실, 탈의실 등으로 구성된 이 방은 1888년까지 루이스 1세의 개인 숙소로 사용되었습니다. 중요한 건축적 특징은 칸막이 벽으로 공간을 나누고 원래의 생생한 색상을 아름답게 보존하고 있는 캔버스 천장을 설치한 것입니다. 1814~1815년경 시릴루 월크마르 마샤두(Cirilo Wolkmar Machado)의 "행복에서 평화까지(Alegría à Paz)"라는 제목의 천장 예술 작품이 있습니다.

푸른 방(Sala Azul)

처음에는 궁전의 원래 배치에 없던 이 가족 거실은 왕실 건축가인 포시도니우 나르시주 다 실바(Possidónio Narciso da Silva)의 지휘 아래 1863년에 정교하게 개조된 후 사용되었습니다. 여왕의 세련된 취향을 반영하여 이 방은 시간이 지나면서 색이 바랬지만 엔리케 카사노바(Enrique Casanova)의 수채화에서 불멸의 상징으로 남아 있는 생생한 푸른색 비단으로 장식되었습니다.

카르발류의 사무실(Gabinete de Carvalho)

이 방은 루이스 1세 국왕의 개인 숙소로 사용되었습니다. 해군에 관한 흔적이 풍부한 이 방은 국왕의 해군 사령관 시절을 기념하고 바다에 대한 그의 열정을 보여줍니다. 정교한 조각과 해양 그림으로 장식된 이 방은 그가 가장 좋아했던 선박과 해양 업적에 대한 경의를 표하는 역할을 합니다. 방문객들은 이 흡연실에서 휴식과 동료애를 위해 궁정 예절의 규범을 잠시 제쳐두고 남성들만의 사교를 즐겼습니다.

대리석 방(Sala de Mármore)

1862년에서 1865년 사이에 저명한 건축가 포시도니우 다 실바(Possidónio da Silva)가 구상한 이 방은 자연의 아름다움을 예술적으로 길들여 역사적인 벽 안에 전시한 증거입니다. 이집트 총독이 선물한 설화 석고로 장식된 대리석 방은 한때 친밀한 가족 모임과 왕실 축하 행사의 배경이 되었던 상쾌한 분위기를 자아냅니다. 중앙 분수대 주변에서 왕자들의 소중한 생일 파티를 열면서 웃음소리가 울려 퍼지는 화려한 식사를 상상할 수 있는 곳입니다.

분홍색 방(Sala Cor-de-Rosa)

포시도니우 다 실바(Possidónio da Silva)가 정교하게 장식한 여왕의 개인 공간인 이 방은 희귀한 가구로 장식되어 있습니다. 한때 여왕의 자랑이었던 18~19세기 독일 인형 컬렉션은 당시의 예술적 취향과 사회적 우아함을 반영하는 소중한 컬렉션입니다. 천장에는 1862년에서 1865년 사이에 주세페 치나티(Giuseppe Cinatti)와 아킬

레 람보아(Achille Rambois)가 훌륭하게 포착한 포르투갈과 이탈리아 풍경이 숨막히게 펼쳐져 있습니다.

녹색 방(Sala Verde)

이 친밀한 공간은 매주 목요일 마리아 피아 여왕의 공식적인 행사, 특히 자선 행사에 중점을 둔 장소로 사용되었습니다. 특히 이 방은 카를로스 왕자(훗날 카를로스 1세)가 태어난 곳으로 포르투갈 왕실 역사에서 매우 중요한 공간으로 기록되어 있습니다. 마리아 피아 여왕이 카를로스 왕자를 출산했던 나이가 15살이었다고 합니다.

붉은 방(Salinha Encarnada)

이곳은 시간이 지남에 따라 우아하게 변모하여 탈의실부터 웅변실, 업무와 독서를 위한 공간까지 다양한 용도로 활용되고 있습니다. 정교한 실크 다마스크로 둘러싸인 벽은 사보이 가문(마리아 피아)과 브라간사 가문(루이스)의 풍부한 유산과 동맹을 보여주는 증거로,

두 가문의 모토인 "J'Attends Mon Astre(나는 나의 별을 기다린다)"와 "Depois de Vós Nós(당신 다음엔 우리)"가 자랑스럽게 새겨져 있습니다.

여왕의 침실(Quarto de Cama da Rainha)

1861년 루이스 1세가 의뢰한 이 방은 평생의 반려자가 될 미래의 여왕(마리아 피아)을 기다리며 그녀가 편안하고 화려하게 지낼 수 있도록 특별히 선택한 파리의 가구로 꾸며져 있습니다. 나폴레옹 3세 스타일의 우아함은 장엄한 캐노피로 둘러싸인 높은 침대부터 방을 장식하는 정교한 예술품에 이르기까지 모든 디테일에서 드러납니다. 천장에는 1816년 이전에 아르캉젤루 포스치니(Arcângelo Foschini)가 제작한 것으로 추정되는 '왕자의 영광(A Glória dos Príncipes)'이라는 아름다운 작품이 걸려 있어 역사적인 분위기를 더합니다.

옷방(The Dressing Room)

원래 1886년까지 여왕의 옷장으로 사용되던 이 방을 개조하여 그 시대의 정교한 장인 정신이 돋보이는 공간으로 변모했습니다. 이 방의 정교한 목재 패널과 놀랍도록 큰 거울의 프레임은 조각가 레안드루 브라가(Leandro Braga)의 작품입니다. 에우제니우 코트림(Eugênio Cotrim)이 제작한 천장과 1887년에 추가된 마리아 아우구스타 보르달루 피네이루(Maria Augusta Bordalo Pinheiro)의 장식 디자인이 이곳의 웅장함을 더욱 돋보이게 합니다. 1887년에 에르네스토 콘데이사(Ernesto Condeixa)가 제작한 다이애나, 주노, 비너스, 미네르바 여신이 그려져 있습니다.

여왕의 욕실(Casa de Banho da Rainha)

당시 위생습관 혁신의 선두주자였던 영국에서 직접 수입한 온수와 비데, 세면대 등의 개인위생 설비가 궁전에 도입되었습니다. 이 친밀한 공간은 사치뿐만 아니라 미래의 웰빙과 프라이버시의 표준이 될 현대적인 편의시설의 초기 도입을 보여줍니다.

현관(Vestibulo)

이 웅장한 현관은 호화로운 갈라 행사에서 왕족의 관문 역할을 했으며, 건축적 디테일의 화려함과 근위대가 귀빈을 맞이하는 곳이기도 합니다. 이 웅장한 현관을 들어서면서 과거 축하 행사의 메아리와 웅장한 밤을 위해 도착한 사람들을 가득 채웠던 경외감을 상상해 보세요.

중국 방의 전실(Antecâmara da Sala Chinesa)

이 전실은 중국 방의 화려하고 정교한 아름다움으로 들어가는 관문 역할을 하며, 군주들이 궁정을 열었던 장엄한 왕좌의 방으로 이어집니다. 이 구역에 들어서면 가장 엄숙하고 축하할 만한 행사 때만 공개되는 궁전의 개인 구역과 웅장한 국빈실 사이의 문턱을 지나게 됩니다. 이와 같은 전실과 복도의 디자인과 기능은 궁중 생활의 조율에 있어 그 중요성을 강조하며, 전실 안에서 벌어지는 정교한 의식을 위한 연결 통로이자 무대 역할을 합니다.

중국 방(Sala Chinesa)

오리엔탈리즘에 매료된 루이스 국왕이 일본 막부의 통치자인 쇼군으로부터 받은 선물을 전용 공간에 전시하고자 했습니다. 이름과는 달리 이 방에는 주로 일본 유물이 전시되어 있는데, 이는 '중국'이 동양을 광범위하게 지칭하던 시대를 반영합니다. 이 방은 천막 내부를 모방한 천연 비단으로 만든 천장과 1865년 주제 프로코

피우 히베이루(José Procópio Ribeiro)가 옻칠 작업을 모방하여 그린 장식 그림으로 장식한 벽이 특히 유명합니다. 중국실은 19세기의 문화 교류와 예술적 감상을 엿볼 수 있는 독특한 공간으로 아주다 궁전의 풍부한 역사와 미적 다양성을 탐험하는 분이라면 꼭 방문해야 할 곳입니다.

왕의 마지막 방(Sala dos Últimos Quartos do Rei)

의사의 조언에 따라 카를로스 왕자와 아폰수 왕자의 거주지였던 이 방을 루이스 1세 국왕이 마지막 해에 개인 숙소로 사용했습니다. 이 방은 통치 말년에 황혼을 맞이한 군주의 왕권 교체와 개인적인 휴식 공간을 요약적으로 보여줍니다. 나중에는 왕궁의 사적인 공간과 고요한 경계를 이루는 음악실로 탈바꿈했습니다. 엔리케 카사노바(Enrique Casanova)의 뛰어난 수채화로 불멸의 작품이 된 이 방의 정교한 장식을 감상하며 포르투갈 왕족의 친밀한 세계로 들어가는 문을 통과해 보세요.

왕의 개인 서재(Gabinete de Trabalho do Rei)

이 방은 1888년 루이스 1세의 개인 작업 공간으로 사용되었으며, 필요할 때는 파견실로 사용되기도 했습니다. 이 방의 역사적 진정성은 엔리케 카사노바(Enrique Casanova)가 세심한 복원을 이끈 세밀한 수채화 덕분입니다. 벽을 장식하고 있는 정교한 벽지는 19세기 메종 투르케틸(Maison Tourquetil)의 오리지널 디자인을 충실히 재현한 프랑스산 벽지입니다. 천장을 올려다보면 1828년에서 1833년 사이의 농업과 풍요를 묘사한 화려한 우화를 발견할 수 있습니다.

왕의 침실(Quarto de Cama do Rei)

침실과 드레스룸이 우아하게 조화를 이룬 이 방에는 1888년 이곳으로 이전한 1층 왕의 침실에 있던 오리지널 가구가 전시되어 있습니다. 엔리케 카사노바(Enrique Casanova)의 세밀한 수채화에서 영감을 받아 세심하게 복원하고 재구성한 이 공간에서 방문객들은 과거 왕실의 생활 방식을 엿볼 수 있습니다.

여왕의 식당(A Casa de Jantar da Rainha)

1880년대에 선각자 레안드루 브라가(Leandro Braga)가 만든 이 공간은 네오 르네상스 양식으로, 과거의 우아함과 당시의 세련미를 결합한 공간입니다. 이 방은 국왕과 왕비, 아폰수 왕자, 고위 인사, 때때로 귀빈들이 매일 식사를 하는 공간으로 사용되었습니다. 1802년 궁전 설계에는 원래 포함되지 않았지만 1880년대에 가족 모임의 필요에 의해 생겨났습니다. 붉은 실크와 바닥부터 천장까지 이어지는 고급스러운 나뭇결 장식으로 분위기를 더욱 풍성하게 만들어 줍니다.

옛 당구실(Antiga Sala de Bilhar)

한때 여가와 게임을 위한 장소였던 당구실이 마리아 피아 여왕의 지시로 당구대를 1층으로 옮긴 후 우아한 리셉션 공간으로 탈바꿈했습니다. 역사가 풍부한 이 방은 1866년 프로코피우(Procópio)의 정교한 작업을 보여주는데, 그는 천장과 천정, 문을 정교하게 칠해 조각한 나무처럼 보이게 하고 실크의 질감을 모방한 산업용 벽지를 사용했습니다. 이러한 선택은 경제적으로 어려운 시기에 창의적으로 적응한 것을 반영합니다. 1886년 카를로스 왕자와 오를레앙의 아멜리아 왕비의 결혼을 기념하기 위해 대대적인 리노베이션을 거쳐 그 웅장함을 더욱 강화했습니다.

여왕의 초상화실(Sala do Retrato da Rainha)

이 방의 이름은 포르투갈 왕실의 상징색인 파란색과 흰색으로 빛나는 33세의 마리아 피아 여왕의 멋진 초상화에서 따온 것입니다. 마리아 피아 왕비의 초상화 맞은 편에는 왕의 힘과 권위를 상징하는 완전한 예복을 입은 루이스 1세의 인상적인 모습을 볼 수 있습니다. 방의 천장에는 1826년에서 1833년 사이에 제작된 '불화를 물리치는 평화(A Paz repelindo a Discórdia)'라는 제목의 정교한 예술 작품이 걸려 있어 이 멋진 방에 역사적 깊이와 예술적 아름다움을 더합니다.

작은 녹색 방(Salinha Verde)

이곳은 여러 방과 내부 복도 사이의 동선을 원활하게 하는 것이 주요 기능인 우아한 대기실입니다. 이 공간은 1825년에서 1833년 사이에 카이타누 아이레스 드 안드라드(Caetano Ayres de Andrade)가 만든 예술 작품인 폼페이아 모티브로 장식된 천장이 돋보이는 세련된 장식이 특징입니다. 이 디테일은 당시의 취향과 예술적 영향을 반영하여 공간에 독특한 분위기를 선사합니다.

외교관 부인의 방(Sala das Senhoras do Corpo Diplomático)

이 우아한 공간은 전통적으로 외교관의 부인을 위해 마련된 공간으로, 당시의 사회적 관습과 계층 구조를 반영합니다. 천장에는 1828년에서 1833년 사이에 제작된 미구엘 1세를 기념하는 놀라운 예술 작품이 장식되어 있어 당시의 예술성과 정치적 분위기를 엿볼 수 있습니다.

외교관 대기실(Sala do Corpo Diplomático)

이 방은 대사와 외교단 일원이 왕좌의 방으로 가기 전에 머무는 권위 있는 집무실입니다. 이 방은 의전 절차에서 중요한 위치를 차지하며 각국 대표들이 포르투갈 왕실과 공식적으로 교류하는 첫 번째 지점을 상징합니다. 1825~1833년에 제작된 안드레 몬테이루 다 크루스(André Monteiro da Cruz)의 '네메아의 사자와 싸우는 헤라

클레스(Hércules combatendo o Leão de Nemeia)'라는 놀라운 예술 작품으로 장식된 천장은 힘과 용맹이라는 주제를 담고 있어 웅장함을 더합니다.

왕좌의 방 전실(Antecâmara da Sala do Trono)

과거에는 이곳에서 국왕과 면담하기 전에 손님들의 이름이 선포되었습니다. 고프레 벨벳(gaufré velvet)을 모방한 벨벳 부조로 장식된 19세기 수공예 벽지로 장식된 이 방은 왕실의 우아함과 예술성을 보여주는 공간입니다. 1825년에서 1833년 사이에 안드레 몬테이루 다 크루스(André Monteiro da Cruz)가 완성한 걸작인 폼페이안 스타일의 천장 장식은 전실의 위용을 더욱 돋보이게 하여 왕좌의 방의 웅장함을 더해주는 역할을 하고 있습니다.

왕좌의 방(Sala do Trono)

거의 2세기 동안 이곳은 국가를 대표하는 주요 회의실로 사용되었으며, 상징적인 손 키스(Beija-mão) 의식을 비롯한 중요한 국가 의

식이 거행되었습니다. 군주가 입장할 때 연주되는 국가로 장식된 이 방은 1825년경 마누엘 피올티(Manuel Piolti)와 막시무 파울리누 두스 헤이스(Máximo Paulino dos Reis)가 주앙 6세를 찬양하는 우화 '영웅적 미덕(A Virtude Heroica)'으로 장식되어 있으며, 포르투갈 궁정의 웅장함과 의례적 위엄을 상징하는 천장 걸작으로 장식되어 있습니다.

보아르네 갤러리(Galeria Beauharnais)

이 갤러리에는 포르투갈 왕실과 존경받는 보아르네 가문 사이의 가족 관계를 기념하는 독특한 초상화 컬렉션이 자랑스럽게 전시되어 있습니다. 1835년 마리아 2세 여왕이 로이히텐베르크의 아우구스투(Augusto de Beauharnais)와 결혼할 즈음에 수집된 이 초상화 컬렉션은 유진 드 보아르네와 그의 아내 아우구스타 아멜리아, 그들의 후손, 친척을 소개하며 고귀한 혈통을 엿볼 수 있게 해줍니다.

이 컬렉션의 각 작품은 예술적 성취를 보여줄 뿐만 아니라 역사를 형성한 풍부한 문화 및 가족 유산을 증명하는 증거이기도 합니다. 참고로 마리아 2세의 첫 번째 남편인 아우구스투는 결혼식 2개월 만에 병으로 죽었습니다. 너무나 갑작스러운 죽음에 독살이라는 얘기도 나왔지만 어떠한 증거도 없습니다.

대연회장(Sala dos Jantares Grandes)

역사적으로 왕실의 성대한 연회가 열렸던 이 공간은 다양한 식물과 은식기로 장식되어 있으며, 촛불 아래에서 반짝이는 기념비적인 거울에 반사되는 모습을 볼 수 있습니다. 그 유산을 그대로 보존하고 있는 이 연회장은 지금도 공화국 대통령이 주최하는 권위 있는 연회 장소로 사용되고 있으며, 최대 180명의 손님을 수용할 수 있습니다. 천장에는 1826년경 주제 다 쿠냐 타보르다(José da Cunha Taborda)가 그린 주앙 6세의 탄생 기념일을 축하하는 멋진 우화가 그려져 있습니다.

주앙 6세 방(Sala D. João VI)

이곳은 루이스 1세 시절 연회장으로 사용되었습니다. 이 방은 궁정 화가인 아르캉젤루 포스치니(Arcângelo Foschini)의 예술적 기량을 증명하는 벽화를 꼼꼼하게 복원하여 실크 벽으로 둘러싸인 역사적 의미가 가득한 곳입니다. 1825년에 제작된 이 벽화는 1808년부터 1821년까지 포르투갈 왕실이 브라질로 이전한 후 주앙 6세가 포르투갈로 돌아온 것을 기념하는 강렬한 알레고리로 자리 잡고 있습니다. 천장에는 1824~1825년경 포스치니의 또 다른 걸작인 '신들의 회의(O Conselho dos Deuses)'가 그려져 있어 포르투갈 역사에서 결정적인 순간에 대한 이야기를 예술과 역사가 융합된 공간에서 만나볼 수 있습니다.

주앙 4세 방(Sala D. João IV)

1825년경 주제 다 쿠냐 타보르다(José da Cunha Taborda)가 지은 이 방은 1640년 포르투갈이 스페인으로부터 독립을 회복한 후 주앙 4세의 엄숙한 선서를 기념하기 위해 만들어졌습니다. 입법부 및 사법부의 엘리트들과 군, 시민, 교회 고위 인사들을 위해 마련된 이 홀은 1794년 도밍구스 세케이라(Domingos Sequeira)의 유화 원본을 바탕으로 1823년경 쿠냐 타보르다가 구상한 걸작인 '정의의 우화(Alegoria da Justiça)'가 정교한 천장에 그려져 있습니다. 이 놀라운 공간은 중요한 모임을 위한 장소일 뿐만 아니라 포르투갈의 지속적인 주권 및 정의의 정신을 기념하는 장소이기도 합니다.

외교사절의 방(Sala dos Embaixadores)

이 방의 이름은 왕이 이곳에서 사절단을 접견했다는 사실에서 유래했습니다. 또한 이곳에 모인 궁정, 고위 인사 및 외교단 일행이 왕이 영접하는 왕좌의 방으로 행렬을 형성하는 대기실로 사용되었습니다. 루이스 왕 이후부터는 궁수의 방(Sala dos Archeiros)이라고도 불렸습니다. 아름답고 인상적인 방으로 포르투갈 군주제의 부와 권력을 상기시켜주는 곳입니다. 여전히 신임 대사의 신임장 수여식과 같은 공식 행사에 사용되고 있습니다.

타파다 다 아주다

고대 성벽의 품에 안겨 있는 타파다 다 아주다(Tapada da Ajuda)에는 바스락거리는 나뭇잎 사이로 역사가 속삭이고, 모험의 향이 짙게 배어 있는 곳입니다. 이곳은 과거와 현재가 조화로운 춤을 추는 30만 평 규모의 안식처로, 그 자체로 하나의 세계입니다.

구석구석마다 이야기가 있고, 왕족들의 발자국과 장엄한 사냥 소리가 여전히 바람에 울려 퍼지는 이곳에 발을 들여놓는다고 상상해 보시길 바랍니다. 타파다 다 아주다는 왕실 사냥터로서의 역사를 간직한 곳으로, 무성한 숲이 펼쳐진 몬산투 공원(Parque Florestal de Monsanto)과 인접해 있어 자연의 변함없는 매력을 느낄 수 있습니다. 이곳에서는 역사를 단순히 기억하는 것이 아니라 느낄 수 있습니다.

초록빛 오아시스 속을 거닐다 보면 주목할 만한 랜드마크들이 과거의 이야기를 들려주며 손짓합니다. 리스보아 천문대(Observatório

Astronómico de Lisboa)는 별을 향해 손을 뻗어 우주의 비밀을 속삭이고 있습니다. 리스본 농업 연구소(Instituto Superior de Agronomia)는 농업의 신비를 탐구하고자 하는 인재를 양성하는 곳입니다. 전시관과 활기찬 농업 스포츠 경기장은 지성과 운동 능력을 모두 기념하며 탐험과 발견의 정신을 구현합니다.

타파다 다 아주다의 정점, 해발 134미터에 우뚝 솟은 나지막한 측지표 근처에 이르면 테주 강의 숨 막히는 경치가 펼쳐집니다. 역사의 속삭임과 자연의 품에 안긴 이곳에서 도시 생활의 시끄러움에서 벗어나 안식처를 찾을 수 있습니다.

타파다 다 아쥬다는 단순히 역사의 배경 그 이상입니다. 여가와 학습이 어우러지는 살아 숨쉬는 공간입니다. 초록빛 광활한 대지가 두 팔 벌려 손짓하며 나무 캐노피 아래에서 피크닉을 즐기고, 햇살이 비치는 길을 따라 여유롭게 산책하고, 고요한 물가에서 사색의 시간을 가질 수 있습니다. 고대 참나무와 역사의 속삭임 사이에서 리스본의 영혼의 한 조각, 즉 자연의 아름다움과 역사적 의미, 모험과 사색을 위한 무한한 가능성이 가득한 보물창고를 발견할 수 있습니다.